街場の成熟論

内田樹

文藝春秋

はじめに

みなさん、こんにちは。内田樹です。

お買い上げありがとうございます。まだ買おうかどうか迷って、手に取った方もできたら「はじめに」だけ読んでいってください。たいしたお時間はとらせませんから。

この本はいろいろな媒体に寄稿した原稿のコンピレーション本です。たくさんの原稿の中から文藝春秋の山本浩貴さんが選択して、テーマ別に配列してこの本を作ってくれました。

僕はこれまで20年間でたぶん２００冊くらい本を出していると思います。最初のうちはよく「ゴーストライターがいるの？」とからかわれましたけれど、今になって思うと、僕にとっての「ゴーストライター」は担当編集者だったんじゃないかと思います。

別に彼らが僕に代わって書いてくれるわけじゃないんですけれども、彼らは僕の書いたものを素材にして、思いがけない作品を創り出してくれる。それを読んで、書いた僕自身が「へえ、オレはこんなことを書いたんだ」とちょっとびっくりする。そして、「そうなんだよ、これこそオレが言いたかったことなんだよ」と膝を打つ（自分で書いているから当たり前ですけれど）。そういう本をもっと読みたいと思うので、ついつい頼まれると原稿を書いてしまう……だから、編集者というよりは共同制作者ですね。僕はそういう「共作者」に恵まれていたと思います。

この本の編集者である山本さんは僕が２００1年に『ためらいの倫理学』という本を出したときに（「評論」的な書き物のデビュー作でした）最初に接触してきた編集者の一人です。だから、共作の歴史はもう20年を超えます。共作本も10冊を超えていると思います。それくらい揃うと、これはもう「山本浩貴編集」というタグをつけられるほどに個性的なシリーズになります。

そのシリーズの一冊であるところの本書ですけれども、『街場の成熟論』というタイトルは山本さんが考えてくれました。テクストを選んだのも山本さんですから、この本の主題は「成熟」ということになるのかと思います。自分の本について「思います」というのも変ですけれど、共作ですから、ところどころ自分でもよくわからないところがあるんです。

僕はこの数年ずっと「成熟」の必要性について語ってきました。今の日本社会を見て、一番足りないなと思うのがそれだからです。でも、「成熟」が論争的な言論の主題になったことは僕の知る限り、過去半世紀ほど一度もありませんでした。

それはたぶん「成熟」が「政治的正しさ」とはレベルの違う話だからだと思います。「成熟／未熟」は「正しい／間違っている」という枠組みでは論じることができません。未成熟であることは別に誤りでもないし、罪でもない。「大人になってね」という働きかけをアフォードする存在のことを「子ども」と呼ぶ。それだけのことです。「大人になってね」という働きかけが功を奏すれば、子どもたちは大人になる。失敗すれば、社会は子どもばかりになって、その人たちが権力や財力や発言力を持ってしまうといろいろな不具合が生じる。

だから、大人の頭数を増やす必要がある。別に日本人全員が大人になる必要はありません。全体の7％くらいが「まっとうな大人」であれば、世の中はなんとか回ります。10％を超えたら「かなりよい世の中」になるし、大人の比率が15％に達したら、たいへんに住みやすい世の中になります。

だから、とりあえずの目標は7％の大人を確保することです。そのためには100人のうち7人くらいの子どもさんに「大人になりたい」と思ってもらわないといけない。でも、「大人になれ」と頭ごなしにどなりつけたってダメなんです。「大人になりたい」という気持ちは内側から自然に生まれないと意味がない。では、どうすればいいのか。

僕はこの手の課題については「トム・ソーヤーのペンキ塗り戦略」を採用することにしています。ご存じでしょうけれど、トム・ソーヤーはいたずらの罰として壁のペンキ塗りの仕事をポリーおばさんに命じられます。もちろんトムはいやでしょうがない。そこで一計を案じます。友だちが通りかかったときに振り返りもせずに懸命にペンキを塗っている。友だちは怪訝《けげん》に思ってトムに「何やってんの？」と声をかけます。トムはペンキ塗りに夢中で返事をしない。もう一度声をかけるとトムはようやく振り返って、「ペンキ塗ってんだから邪魔しないで」と言ってペンキ塗りを続ける。すると友だちは好奇心にかられて「それ、面白いの？」と訊ねる。トムはすかさず「この世でこれほど楽しいことはないね」と応ずる。ここまでくるともう罠にかかったも同然ですね。友だちは「ねえ、ちょっとだけやらせてくれない」とにじり寄って来る。トムはもちろんにべもなく「ダメだよ」と言う。そうなると友だちはさらに食い下がる。最終的にトムは「しぶしぶ」ペンキ塗りの苦行を友だちに譲って、自分はほいほいと遊びにでかけてしまうのです。

人に何か仕事をして欲しかったら、その仕事が「楽しくてしかたがない」かのようにふるまう。これは経験的には確かです。ですから、子どもたちのうちに「大人になりたい」という意欲を発動させるためには、「大人であることは楽しい」ということをきちんと伝える必要がある。

もし今の日本の子どもたちに成熟への意欲が著しく減退しているとしたら、それは子どもたちが「楽しそうに暮らしている大人」を間近に見る機会が少ないということだと思います。

かなり目減りしているとはいえ、今の日本社会にだって、大人の頭数はそこそこいるはずなんです。でも、その大人たちを見て、子どもたちが「あんな大人になりたい」と強く願うということが起きていない。ということは、「大人なんだけれど、楽しそうにしていない人」が多いということです。たぶんそうだと思います。

なぜでしょうか。それは世の中がうまく行っていないのは、「社会正義が実現していないからだ」というふうに考えている人が多いからだと思います。もちろん、そうなんです。今の世の中の生きづらさや理不尽のかなりの部分までは社会的な欠陥のせいなんですから、それを修正しなければいけないというのはまったくその通りなんです。でも、「正義を実現する」「間違いをただす」という考え方ばかりしていると、人はつい表情が険しくなるんです。不機嫌になる。怒りの激しさによって、正すべき「諸悪」のスケールと深さを表現しようとする。

僕はそれが「悪い」と言っているんじゃないんですよ。もちろんそれで正しい。でも、そればかりしていると、「大人というのは不機嫌なものだ」という印象を子どもたちに刷り込んでしまうことになる。そのことを懸念しているのです。

だって、誰も「大きくなって、不機嫌な人間になろう」とは思わないからです。子どもたちはたぶん今の日本の怒る大人たちを見て、「言っていることはまったく正しいと思うけれど、その人のような人間になりたいとは思わない」と感じている。それよりは、「言っていることは正しくないようだけれど、なんだか陽気で、高笑いしている人たち」を見て、「ああいうのになってもいいな」と思っている。誰とは言いませんけれど、「政治的に正しくないこと」を大声で言い募る人たちって、かなり技巧的に「上機嫌」を演じていますね。機嫌が良いことが子どもたちにアピールすることを直感的にわかっているんです。そのあたりの人間観察の鋭さはなかなか侮れません。

まっとうな大人たちは不機嫌な顔をしていて、その一方で、あまりまっとうじゃない人たちはテレビの画面や YouTube の配信動画でげらげら笑っている。彼らは世の中の「きれいごと」や「建前」を笑い飛ばして、それに代わって、剝き出しの「力」（権力やお金や名声）を求めるのが人間の本性であるというかなり幼稚な人間観を繰り返し発信している。子どもたちがそれを見て、成熟への意欲を殺《そ》がれているのだとしたら、これはかなりシリアスな問題ではないかと僕は思います。

この「政治的に正しくないけれど妙に上機嫌な人たち」に「黙れ」ということはできません。「言論の自由」は守らなければいけませんから、思うことをお好きに話してくださって結構です。でも、この「成熟への意欲を殺ぐ言説」に対抗して、僕たちとしては「大人であることは楽しい」ということをあらゆる機会を通じて子どもたちに伝えなければならない。「政治的に正しいことを機嫌よく言う」のって、難しいんです。すごく難しい。それができている人はあまりいません。でも、その困難なミッションを果たさないと、子どもたちに「成熟することへのインセンティブ」を提供することができない。「正義を実現すること」もたいせつですけれど、それと同じくらいに、あるいはそれ以上に未来の世界をよりよきものにするために「子どもたちの市民的成熟を支援する」ことがたいせつです。そして、子どもたちが不機嫌な大人を見て、「こんな人になろう」と思うということは決してない。そのことをぜひご理解頂きたい。子どもたちの成熟を支援する「先達」になる意思がある大人の人たちはぜひ日々笑顔で過ごして頂きたいと思います。

と自分で言っておきながら、これからお読み頂く本書の文章は別にのべつ笑顔で書かれているわけではありません。実は腹を立てた勢いに任せて書いたものもあります。それでも、通読して頂ければ、世の中の仕組みをときほぐして、人としてなすべきことを明らかにするという「大人の仕事」を僕は比較的機嫌よく果たしているのではないかと思います。

もう長くなり過ぎたので、この辺で終わりにしますけれども、そういう趣旨の本ですので、お読みになるみなさんもできたら、ときどきでいいですから、笑いながら読んでください。

街場の成熟論　目次

I　ウクライナ危機後の世界

Ⅱ 沈みゆく社会

Ⅲ　成熟について

Ⅳ　ジェンダーをめぐる諸相

V 語り継ぐべきこと

街場の成熟論

Ⅰ　ウクライナ危機後の世界

ウクライナ危機と「反抗」

　ウクライナへのロシア軍の軍事侵攻が始まってから、いろいろな媒体から意見を求められた。こうして農業の新聞からも寄稿依頼がある。これは尋常なことではない。私はもちろんロシアやウクライナの専門家でもなんでもない（むろん農業の専門家でもない）。だから、2014年のクリミア併合のときも、それ以後の親露・分離派との東部での紛争のときも、誰も私に意見を求めにこなかった。

　クリミア併合も東部の分離活動もいずれもプーチンが行った「特殊な軍事的作戦」であり、ウクライナにとっては国難的な危機であったけれども、その当時、私の周りで「ウクライナはこれからどうなるのだろう」ということが話題になるということはなかったし、むろん寄稿依頼もなかった。それが今回はまったく様相が違う。これまでとは違うことが起きているということを誰もが感じ取っているのである。

「これまでウクライナのことに何の関心もなかった連中が急に騒ぎ出した」というふうに冷笑的にこの事態を眺めている人もいる。アフガニスタンやシリアでロシアが軍事行動をしたときには、何もせず手をつかねていた人間が、今回に限ってウクライナ大使館宛てに寄附をしたりするのは嗤《わら》うべきダブル・スタンダードだと指摘する人もいる。

その通りかも知れない。でも、そのような指摘は半分は当たっているけれど、半分は違っている。というのは、同じような構図の中で、同じようなプレイヤーが演じる、同じような政治的出来事であっても、そこに「これまでと違う何か」を感知すると、人はそれまでとは違うリアクションをするものだからだ。

アルベール・カミュは『反抗的人間』という長大な哲学書の冒頭に、同じような出来事が続いても、あるときに「何かがこれまでと違う」と直感すると人間はそれまでにしたことのない行動をすることがあるという話を記している。主人の命令につねに唯々《いい》諾々《だくだく》と従ってきた奴隷が、ある日突然「この命令には従えない」と言い出すことがある。「今までは黙って従っていたが、さすがにこれには従えない」と言い出すのだ。このときに奴隷が抗命の根拠にした「踏み越えてはいけない一線」なるものは事前に開示されていたものではない。それを踏み越えようとするときにはじめてそこに「越えてはいけない一線」が存在していたことがわかる。そういうものなのだ。

この独特の感じをアルベール・カミュは révolte というフランス語で表そうとした。日本語では「反抗」と訳されるけれども、「反抗」では一意的に過ぎていて、この語の独特な、曖昧な感じを汲み尽くせない。カミュの言葉をそのまま採録しよう。

「誰かが『勝手なふるまい』をして、境界線を越えてその権利を拡張しようとするとき、人がそれに抵抗するのは、『ものには限度がある』と感じるからである。その境界線をはさんで一つの権利と別の権利が向き合っており、互いを制限している。反抗の運動はそこでなされた許し難い侵犯行為に対する決然たる『否』と、反抗する人間の側の『自分はそうする権利がある』という曖昧な確信というよりは気分にもとづいている。」（Albert Camus, L'homme révolté, in *Essais*, Gallimard, 1965, p.423）

これは今のウクライナとロシアの関係を言っているようにも読める。でも、ここでカミュが書いているのは、領域侵犯行為に対して、人が反抗を選ぶのは、単に「もう我慢ならない」という感情に衝き動かされているだけではないということである。これを受け入れてしまうと、自分ひとりでは弁済し切れないほどのものを失うと感じたときに人は反抗を選ぶ。それがカミュの考えであった。

自分ひとりが屈辱に耐え、苦痛を甘受すれば済むことについてなら人は必ずしも「反抗」を選ばない。「私一人が苦しめばそれで済む」と思えるのなら、権利侵害を受け入れることは心理的にはそれほど難しくない。私ならそうするかも知れない。だから、人が死を賭してでも「反抗」を選ぶのは、ここで権利侵害を受け入れたら、それによって失われるのはその人ひとりの権利や自由ではなくなると感じるからである。

カミュはこう続けている。

「人が死ぬことを受け入れ、時に反抗のうちで死ぬのは、それが自分個人の運命を超える『善きもの』のためだと信じているからである。人が自分が護《まも》っている権利を否定するくらいならむしろ死ぬ方を選ぶのは、その権利を自分自身より上に位置づけているからである。人がある価値の名において行動するのは、漠然とではあっても、その価値を万人と共有していると感じているからである。」（*Ibid.*, p.425）

そうだと私も思う。だから反抗的人間は孤独ではない。その反抗の戦いを通じて、潜在的には万人と結びついているからである。

ウクライナ市民たちの勇敢な戦いの動機を多くの人は「愛国心」によるものだと説明している。そして、「愛国心は有益だ（どの国の国民もこれくらい愛国心を持つべきだ）」と考えている人たちが一方におり、「愛国心は有害だ（現に、そのせいでたくさんの人が死んだり傷ついたりしている）」と考えている人たちが他方にいる。ここには対話の余地がない。

でも、もし今カミュが生きていたら、ウクライナで戦っている人たちやあるいはロシア国内で投獄のリスクを冒しながら「反戦」を叫んでいる人たちは必ずしも「愛国心」からそうしているのではないと言うだろうと思う。彼らはそれよりもっと上位の価値のために戦っているのだ、と。

愛国心のための行動と、それよりもっと上位の価値のための行動は、外見的にはよく似ている。ほとんど見分けがつかないほど似ることもある。

戦っている人たち自身も「あなたが『反抗』を選んだ動機はなんですか?」と訊かれたら「愛国心ゆえです」と答えるかも知れない。でも、それでは、今世界中の人たちがこの出来事をわが身に切迫したものとして感じていることの説明がつかない。私たちは他国の人の愛国心については、それがどれほど本人にとってはシリアスで必至のものであっても、それほど感動することはないからだ。

例えば2021年の1月6日に米連邦議会に雪崩れ込んだトランプ支持者たちは主観的には「命がけでアメリカの理想を守ろうとした」愛国者だったと思う。今でも「彼らは愛国者だ」と擁護し顕彰する人たちはいるし、あるいはほんとうにそうなのかも知れない。けれども、ひとつだけ確かなのは、彼らはアメリカのためには多少の犠牲を払う気はあったが、「万人の権利」のために自己を犠牲にするつもりはなかったということである。

私たちは他国の人が愛国心を発露しているのを見せられても、ふつうは特段の感動を覚えない。「ああ、そうですか。そんなにお国がお好きなんですか。よかったですね」とにこやかにスルーするか「愚かな。空疎な幻想に取り憑かれてしまって」と冷ややかにスルーするか、どちらかである。

だから、今ウクライナやロシアで「反抗」の戦いをしている人たちの動機を「愛国心」だと私は解さない。それより「上位の価値」のために彼らは戦っているのだと思う。

私たちが反抗の戦いをしている人たちから目が離せないのは、彼らがその戦いを通じて、遠く離れた、顔も知らず名前も知らない私たちの権利をも同時に守ってくれていると感じるからである。だから、彼らを孤立させてはならないと思うのである。

たしかに不合理な話である。

でも、この反抗者たちが敗れたときに私たちが失うのは小麦やトウモロコシの輸入量とか天然ガスの供給量とかいうレベルのものではない。もっと本質的な何かが失われる。そのことを私たちはたぶん直感的にはわかっているのだと思う。

（「JAcom 農業協同組合新聞」２０２２年３月24日）

日本は帝国の属領から脱却できるか？

国家をめぐる歴史的趨勢

ウクライナ戦争は「国民国家の底力」を明らかにした。

冷戦後、国民国家はその歴史的役割を終えて、ゆっくり消滅していくと考えられていた。経済のグローバル化によって国民国家は基礎的政治単位であることを止めて、世界は再びいくつかの帝国に分割されるようになる、と。S・ハンチントンの『文明の衝突』（1996年）はいずれ世界が七つか八つの文明圏に分割されるという見通しを語ったものだが、その時点では多くの知識人がそれに同意した。

ウクライナ戦争は「ウクライナはロシア帝国の属領であるべきか、単立の国民国家であるべきか」という本質的な問いをめぐるものである。プーチンは旧ソ連圏を再び支配下に置くことで帝国を再編しようとした。それに対して、ウクライナ国民は死を賭して単立の国民国家であることを選んだ。帝国と国民国家が、その存立原理を賭けて正面から激突したのである。

歴史的趨勢は「国民国家の解体」と「帝国の勝利」を予示していたはずだが、意外にもウクライナは頑強に抵抗して「帝国化」のプランを挫き、国際社会は「国民国家の復元力」を今見せつけられている。

国民国家はそう簡単に歴史の舞台から消え去るものではなかったということである。

前近代の世界では、帝国が基本的な政治単位だった。帝国とは、多人種・多言語・多宗教・多文化の集団を並立的に包摂する統治モデルである。強権的で、政治的自由は限定的だけれども、治安はそれなりに安定しており、各民族集団は高度な自治権を持ちながら平穏に共生していた。

その帝国モデルが17世紀に国民国家モデルに代替されることになった。長く続いた宗教戦争を収めるためには、同一領土内に複数の宗教が並立していない方がよいという実利的な理由から、1648年のウェストファリア条約において「国民国家」という新しい政治単位が導入されることになった。

国民国家というのは、ある限定的な「国土」のうちに、人種・言語・宗教・文化を共有する同質性の高い「国民」が集住しているという統治モデルである。多様性は失われるが、政治単位としての凝縮度や、文化の純度は高まる。

当初は宗教戦争を終息させ、政治的安定をもたらすはずの国民国家システムがその後支配的な政治単位になった最大の理由はおそらく「国民国家は帝国より戦争に強い」と分かったからである。それを証明したのが、フランス革命戦争だった。

それまでの戦争は王侯貴族が傭兵を雇って領土や王位継承をめぐって戦うものであった。ところが、フランス革命戦争の主体は義勇兵が担った。市民が自ら銃を執《と》り、「革命の大義」を全ヨーロッパに宣布するために戦ったのである。銃後の市民たちも、産業界も、メディアも戦争に全面的に協力した。「総力戦」という戦争形態がこのとき可能になったのである。「わが国は世界史的使命を担っている。国民ひとりひとりの個人的献身によって国力は増強する」という信憑《しんぴょう》によって幻想的に統合された国民国家が、いくつかの民族集団が分断されたまま皇帝に服属している帝国を軍事的にも経済的にも圧倒した。だからこそ、19世紀から20世紀にかけて、帝国の属領だった地域が次々と国民国家として自立するようになったのである。

第一次世界大戦でロシア帝国、ドイツ帝国、オーストリア・ハンガリー帝国、オスマン帝国が瓦解した。「国民国家でなければこれからのパワーゲームで生き残ることはできない」ということが世界的な常識になった。

第二次世界大戦後はかつて「帝国の植民地」であった地域が次々と独立を果たした。アフリカの場合、このとき「民族自立」の大義を掲げて独立した国家は、必ずしも「人種・宗教・言語を共有する同質性の高い国民」によって形成されてはいなかった。国内に民族対立を含み、同族が国境線で分断されていたにもかかわらず、アフリカ諸国が国民国家の創建を急いだのは、「国民国家がこれからの基本的な政治単位になる」ということについてはグローバルな合意があったからである。

しかし、冷戦後になると、「国民国家が基本的な政治単位であるべきだ」という信念に翳りが生じた。決定的だったのはユーゴ紛争だったと思う。

ユーゴスラヴィアは五つの民族、四つの言語、三つの宗教を包含する多民族国家だった。チトー大統領の強い指導下にあった間、ユーゴは国際社会でそれなりのプレゼンスを誇っていたが、チトー死後、同質的な民族ごとに独立国家を形成すべきだという「民族自立」運動によって連邦は解体し、その過程で虐殺や略奪やレイプなどの戦争犯罪が行われた。以後も旧ユーゴを形成していた国々の多くは政情不安と経済危機のうちにある。

「民族自立」と言えば聞こえはよいけれど、「純血」集団をめざす政治運動は必ず「民族浄化」の暴力を呼び寄せる。ユーゴの経験によって「同質性の高い国民国家を形成することが国力を増大させる唯一の道だ」という20世紀に広く共有された信念が揺らぐことになった。

経済のグローバル化がこの趨勢に拍車をかけた。商品・資本・人間・情報が国境を越えて高速で行き交うようになったために、世界的な大企業は、いかなる国民国家にも帰属しない「無国籍産業」という形態を選択したからである。人件費・製造コストの安い国に製造拠点を置き、租税回避地に本社を移し、いかなる国民国家の雇用創出にも納税にも貢献する気がない企業であることが利益を最大化する道だということに資本家たちは気がついたのである。

各国のエリートたちもまた「祖国」に無関心になった。世界各地に生活拠点を持ち、国籍を異にする人たちとネットワークで結ばれ、大陸間を自家用ジェットで移動することがエリートのステイタスになった。この「祖国の運命と自分の個人的運命とを切り離すことに成功した人たち」がそれにもかかわらず国民国家においても指導部を形成した。権力者に取り入り、国政に介入して、国家の公共財を私物化するようになった。「オリガルヒ」というのはロシアにだけいるわけではない。公共財を私財に付け替えることを本務とする「エリート」たちは世界中にいる。むろん、日本にもいる。

こうしてどこの国民国家でも、国民としての一体感がじわじわと崩れ始めた。それが「国民国家の液状化」と呼ばれる現象である。

それに並行して、軍事同盟や経済共同体を通じての「帝国の再編」が始まった。EU（神聖ローマ帝国）、ロシア（ロシア帝国）、トルコ（オスマン帝国）、インド（ムガール帝国）、中国（中華帝国）という旧帝国に、英米豪カナダ・ニュージーランドの「ファイブ・アイズ」（大英帝国）が加わった。国民国家を基礎単位とするウェストファリア・システムはその歴史的使命を終えて、世界は再び「帝国化」するという未来予測が行われるようになったのは、この頃からである。

その予測を大きく裏切ったのが、ウクライナ戦争だった。その前にブレグジットとトランプの「アメリカ・ファースト」があったから、国民国家のバックラッシュの予兆があったと言えばあったのである。

もう一つ、国民国家の延命に棹《さお》さしたのは世界的なパンデミックである。コロナ禍は国民国家の境界線が強固な「疫学上の壁」であることを明らかにした。

2020年初めにイタリアが医療崩壊に陥ったとき、医療支援を求められた独仏は自国民を優先して、医療資源の輸出を禁じた。同じ感染症に罹患しながら、国境線のこちら側の人は生き、あちら側の人は死ぬということが起きたのである。感染症については、シェンゲン協定は無効だった。そして、ウクライナ戦争が起きて、「国民国家は意外にしぶとい。まだその命脈は尽きていない」ということが証明された。

今後の世界では帝国の「併呑」志向と国民国家の「独立」志向がせめぎ合うことになると予測される。その二つだけではない。そこに軍事同盟や経済協力機構も絡んでくるし、IS（イスラム国）やアノニマスのような非国家アクターも絡んでくる。

今回のウクライナの戦争でも、欧米諸国は時には国民国家として、時にはEU加盟国として、時にはNATO加盟国として、時には国連加盟国として……などなどそのつどの政治課題ごとに軸足を置く政治単位を切り替えた。このやり方がこれからのデフォルトになると思われる。つまり、今後の国際社会では、帝国、軍事同盟、経済協力機構、国民国家、非国家アクターなどいくつかの政治単位が重層的に重なり合いながら、それぞれ固有のロジックで動くということである。そして、国民国家の為政者たちも、そのつどの政治課題ごとに、どの政治単位に軸足を置いて判断し、行動するのかの選択を迫られることになる。

これまでなら、国際政治の基本的なアクターは、国連に参加している193の国民国家だった。この193のプレイヤーがそれぞれ自国益の最大化をめざしているというのがゲームのルールだった。

だが、これからはルールはもうそれほど単純ではない。一つの国が、国民国家としてふるまう場合と、軍事同盟の構成員としてふるまう場合と、経済共同体の一員としてふるまう場合とでは、政策の選択が変わるからである。どのグループに軸足を置いて、どんなルールに従ってふるまうのかによって、国のふるまいが変わる。国際政治はこれから複雑なパワーゲームになる。これまで以上に頭を使わないと生き残れない。

日本は島国だから、日本人は同質性の高い国民国家が国のかたちとして自然であり、標準的なものであり、永遠にそのままで続くものだと信じている。しかし、これはかなり特殊な例である。世界の国民国家の多くはそうではない。多くは暫定的な政治的擬制にすぎない。だからこそ繰り返し国境線の引き直しが行われるのである。

政治単位は一定不変のものではない。歴史的条件が変われば膨張したり縮小したりする。日本だって、今から80年前に「帝国」を志向していたときには、千島から内蒙古まで、シンガポールからインドネシアまでが「皇国の版図」であり、共同主観的には東アジア一帯が「日本のバックヤード」だったのである。

「政治的正しさ」が持つ力

ウクライナの戦争が私たちに伝えたもう一つの重要な教訓は「政治的正しさ」が持つ力である。「政治的正しさ」と言ってもよいし「建前」と言ってもよいし、「きれいごと」と言ってもよい。そんなものはリアル・ポリティクスでは何の役にも立たないとせせら笑う自称「リアリスト」がいるけれども、大義名分が立つ戦いか立たない戦いか、それが実際にはリアルな軍事力よりも決定的な影響力を持つことがある。それをウクライナ戦争は私たちに教えたと思う。

今度の戦争に際して、ゼレンスキー大統領は、国際社会に向けて「われわれは、自国領土や市民の自由と権利を守っているだけではなく、この戦いを通じて、世界中の人々の自由と権利をも守るためにも戦っているのだ」というメッセージを発信した。ウクライナは自国益のみならず、それを通じて国益よりも「上位の価値」を守るために戦っているというメッセージを発信した。

もちろん、ロシアも大義名分を掲げた。ウクライナの政権がネオナチ勢力に操られていて、領土内のロシア系市民が不当な弾圧を受けている、それを救済するのだという「政治的に正しい」物語を掲げてみせた。「ナチズムと戦うのは政治的に正しい」、「マイノリティを保護するのは政治的に正しい」という名分でウクライナ侵攻を道義的に正当化しようとした。ロシア国内ではこのプロパガンダを信じた人がいただろうけれども、ロシア国外にはたぶん一人もいなかった。

ロシアがNATOの東方進出を恐れたことがウクライナ侵攻の主因だということは多くの人が認めている。けれども、「怖かったから」ということを少なくともプーチンは戦争の大義名分には掲げることをしなかった。感情的にはそうだったのだと思う。けれども、プーチンは国内外に向かって「怖かったから」と被害者意識を前面に出して同情を集めるということはしなかった。正直にそう言えば、世界各国に「ロシアの事情も分かる。ロシアが気の毒だ。ウクライナはすぐに停戦して、ロシアの不安を取り除け」と言い出す人が次々と出てきたかも知れない。

でも、プーチンは「恐怖心からウクライナに侵攻した」とはカミングアウトしなかった。そうしたときに、彼の政治生命が終わることを懸念したのだと思う。彼は「怖いものがない」政治家というイメージを守り続けたことでその権力を維持してきたからである。「不安」や

「恐怖」に引きずられて戦争を始めたと公言すれば、その政治的神通力は大きく傷つけられる。

しかし、実際には、NATOの東方進出を支えにして隣接諸国（ポーランドやリトアニアやフィンランド）がロシアに対してこれから外交的に強硬な姿勢に出てくることが高い確率で予測されたからこそプーチンはウクライナ侵攻を決断したのである。「このままではロシアは世界から侮られる」という衰運への恐怖（そして、そのような国運の衰微を招いた責任を問われて彼自身が失権することへの恐怖）が侵攻の大きな動機だった。でも、それがどれほどリアルな恐怖であったとしても、「ロシアはすでに侮られており、このままではさらに侮られる」という理由での開戦はプーチンの面子にかけても口にすることのできない言葉だったのである。

「自国の主権が将来的に脅かされるのを防ぐために、予防的に他国の主権を侵す」という言い分での戦争開始はこれまでもなされてきた（日本の「ＡＢＣＤ包囲網」がそうだ）。だが、それは自国民を納得させることはできても、国際社会に支持者を見出すことが困難なロジックである。

ウクライナは軍事力ではロシアに劣っていたけれども、「政治的正しさ」の支えがあった。これが1年以上にわたってウクライナがロシアに抵抗できた大きな理由だったと思う。いくらNATOの軍事支援があっても、ウクライナ国民の側に自分たちの戦いに「義がある」という確信がなければ、ここまでの抵抗は不可能だったろう。

ウクライナ侵攻直後に、「これまでのロシアの他国の主権侵害については看過してきた人たちが、ウクライナに限って支援するのはダブル・スタンダードだ」と批判する人たちがいた。ある種の「どの口が言うか論法（whataboutism）」である。これはもともとは東西冷戦時代に欧米が社会主義圏における人権抑圧を非難したときに、「過去に奴隷制を持ち、植民地を収奪してきた国に人権抑圧を批判する資格はない」と切り返したことに始まる。これは反論することの難しい論法である。だからこそ今でもあらゆる場面で活用されている。

ただ、今回の世界各国の市民のウクライナ支持に対して、「これまでロシアの人権侵害を放置してきた人間にはウクライナ支持を口にする資格はない」と抑え込みにかかっても、あまり有効ではないと思う。それは、「今回に限って違うことが起きた」からである。

これまで大国から軍事侵攻を受けた被害国民たちは「自分たちの領土が侵されていること、生存や自由や権利が脅かされている」ことを訴えはした。でも、それを守ることがそのまま「万人の生存や自由や権利を守る」ことに通じるというメッセージを発信することはできなかった。だから、他国の人々は「気の毒に」とは思っても、侵略されている人たちが「われわれのために戦っている」という印象を持つことはなかった。今回、ウクライナはこれまでの被害国と質の違うメッセージを発信することに成功した。その点がこれまでの事例と違う。ウクライナは「われわれは一国の領土や国益より『上位の価値』を守るために戦っている」

というメッセージを国際社会に発信することに成功した。

これはロシアにはできなかったことである。ロシア軍は占領地で略奪や虐殺を行い、戦況が悪化してからは囚人部隊までをも投入した。ウクライナ国民を恐れさせ、その戦意を喪失させるという目的でしたことならあるいは合理的な選択なのかも知れないけれど、それによって国際社会に向けて、「われわれは政治的に正しい戦争をしている」という論拠をほぼ完全に失った。

われわれは今や「ポスト・トゥルースの時代」に入ったと言われている。そして、久しく「政治的正しさ」という語そのものが嘲弄的なニュアンスでしか用いられなくなっていた。もう賞味期限の切れたアイディアだと思われていた。ところが、今回のウクライナ戦争で、どちらの側により「政治的正しさ」があるかということが、戦争の帰趨を決するほどの力を持つことが証明されてしまった。これは「人道的」とか「倫理的」という形容詞を近代の遺物、イデオロギー的欺瞞として全否定してきたラディカルな資本主義者たちからすれば、思いがけない展開だったと思う。「正義と公正」のために戦う人間なんかいやしない。みんな自己利益のためだけに戦っているのだというシニシズムが支配的なイデオロギーになったと思っていたら、意外にもウクライナの人々は「正義と公正」を掲げて国際社会のモラルサポートを勝ち得たのである。「きれいごと」の現実変成力が証明された。

ウクライナ政府は骨の髄まで腐敗している、ゼレンスキー大統領は対外的には「きれいごと」を言いながら、実は私腹を肥やしている……といったタイプの「事情通」の発言を最近よくネットで見かけるようになった。どれも一定の真実を含んでいる情報だと私も思う。けれども、そういう発言をする人たちは「ウクライナとロシアのどちらに理があるのか」を精査するためにそうしているのではない。そうではなくて、「この世に正しいものなどない」という彼ら自身のイデオロギーを維持するために、あえてウクライナの非人道性、非倫理性を強調しているのである。

すべての人間は不完全であり、邪悪であり、嘘つきであるという命題は原理的には正しい。けれども、人間の不完全さや、邪悪さや、不実には個人差があり、程度の差がある。そして、人間を衝き動かすのは、しばしば「原理の問題」ではなく「程度の問題」なのである。

私たちは今ウクライナとロシアの戦いにおいて、「程度の問題」がどれほどの現実変成力を持ち得るのかを見つめている。ウクライナがロシアより「政治的により正しい国」であるがゆえにこの戦争に敗けなかったという歴史的事実にできることなら私は立ち会いたいと思っている。

自由や民主主義は、欧米の啓蒙思想家たちが作り出したものである。だから、必ずしも「人類共通の普遍的な価値」ではない。しかし、それらの思想は「万人の万人に対する闘争」という自然状態から人類が脱却するために発明され生み出されたものだ（という話になっている)。

実際に歴史的事実として「万人の万人に対する闘争」というような『マッドマックス』的世界が存在したのかどうか、私は知らない。新石器時代の遺構が発掘されているけれども、そのような無秩序状態があったことを証明するものは今のところ見つかっていない(むしろ相互扶助的な共同体の存在を多くの遺跡が語っている)。「万人の万人に対する闘争」はおそらくホッブズやロックが自説を基礎づけるために創造した「存在したことのない過去」だろうと思う。でも、強者が弱者を支配し、収奪する社会は「あってはならない」という彼らの初発の意思については、私はこれを壮とする。

2014年のクリミア占領のときも、ロシアは力による現状変更に踏み切った。その際、国際社会はクリミア半島のロシア併合をほとんど拱手傍観《きょうしゅぼうかん》していた。でも、今回は違う。いったい何が違うのか。それはやはり「程度の差」というしかない。

強国が弱小国の領土を奪うという点では2014年と2022年の間に「原理の違い」はない。だが、クリミア併合のとき、ロシアは、これが外国軍による武力占領ではなく、あくまで住民たちの発意により、合法的な手続きを経ての併合に「見えること」にこだわった。ウクライナからの独立とロシアへの併合を問う住民投票では90%以上の賛成票が投じられたと発表された。どこまでが真実なのかはわからない。けれども、「合法的に見えること」にこのときのロシアがこだわったのは事実である。そこに法理的な瑕疵《かし》がない「ように見える」ことにこだわった。その「こだわり」のうちに国際社会はロシアの自制心を見出そうとした。他国領土を併合するにしても、あたかも適法的であるかのようにふるまおうとするロシアの「節度」に欧米は今後の交渉についての一縷《いちる》の望みを託したと思う。だが、今回ロシアは「合法的に見えること」にこだわらなかった。そこに「決定的な程度の差」（奇妙な言い方だが、そうなのだ）があると私は思う。

これから中国はどう動くのか

アメリカの国内世論では、積極的にウクライナ戦争に軍事介入すべきだという声は少ない。オバマ政権以降、アメリカは内向きになって孤立主義の傾向を強めているから、ウクライナ戦争でも、この流れは変わらないだろう。ただ、アメリカは、自分の手は汚さずに、ウクライナに激しく抵抗してもらって、ロシア軍の兵力が損耗し、経済制裁で生産力を失い、ロシアが国際社会で孤立した「二流国」に転落するシナリオを期待していることは事実だと思う。いわば、ウクライナという「やすり」を使って、ロシアの国力を殺ぐことができるなら、アメリカが直接介入する必要はない。そういう計算をしていると思う。

一方、中国はウクライナ戦争でかなり不利な状況に追い込まれた。経済的にこれからロシアを支えなければいけないからだ。国際的孤立からロシアを擁護しなければならないのだが

「大義名分」がない。ここでロシアを支えないと欧米諸国が「増長する」からというパワーゲームの論理しかない。

ただ、中国はプーチン政権を見切れない事情がある。プーチンが失権した場合の先の見通しが立たないからである。戦況の悪化の責任を取ってプーチンが失権した場合、ロシア国内で何が起きるか、確実なことを言える人間はどこにもいない。親欧米派が台頭する可能性も全くなくはない。現に、プーチン自身が初期にはNATO加盟をめざしたくらいだから、ポスト・プーチンのロシアが「親欧米」路線にシフトする可能性はゼロではない。そんなことが起きたら中国は国際社会で孤立するリスクがある。それだけは避けなければならない。

もう一つ、プーチンが失脚したあとに、ロシアがカオス的状態になる可能性もある。こちらの方が親欧米政権ができるより可能性が高いかも知れない。ロシアの政治家や軍人たちがいくつかのグループに分かれて覇権を競うようになると、あるグループはNATOに近づき、あるグループは中国に近づき、あるグループはインドやあるいはトルコに支援を求めるというふうにロシア国内が四分五裂して、大国の「代理戦争」の様相を呈するかも知れない。大量の核兵器を持っている国が分裂して、誰に話を通せばロシア全土がそれに従うのかが分からないというのは、世界のどの国にとっても悪夢である。

だから、親欧米派が政権を取ることも、「代理戦争」が始まることも、どちらも中国はまったく望んでいない。となると、中国にとってベストの選択は、プーチン政権（あるいはプーチン政権のコピーのような反欧米的な独裁政権）が長く続くことだということになる。でも、そのためには国際的に孤立し、貧国に転落するロシアを扶養し続けるという面倒な仕事を引き受けなければならない。短期的にはロシアの天然資源を安く買い、ロシア市場の独占的なサプライヤーになることで多少の経済的利益は得られるだろうけれども、中長期的には対ロ支援は中国にとってはきびしいコストになる。

ウクライナと台湾の軍事的緊張を絡めて論じる人が多い。ロシアがウクライナに侵攻したのだから、中国もそれを真似て台湾の併合に踏み切るかも知れないというのである。だが、たぶん話は逆だと私は思う。これまでアメリカのメディアでは「中国は今日にも台湾侵攻に踏み切るかも知れない」という危機論が高まっていた。だが、ウクライナ戦争の長期化で、台湾侵攻の可能性はむしろ遠のいたように私には思われる。

今回、ロシアは短期間のうちに（三日間程度で）キーウを攻略し、ゼレンスキー政権を倒し、親ロ派政権を樹立するつもりでいた。そうなればロシアにエネルギーを依存している西欧は既成事実を追認せざるを得なくなる。ＮＡＴＯの足並みは乱れ、効果的なロシア包囲網は作れない。プーチンはそう算盤を弾いていた。だが、ウクライナの予想外の頑強な抵抗によってその計画は頓挫した。

中国が台湾に侵攻した場合も、同じことが起きる可能性が高い。台湾に一気に軍事侵攻して、台湾軍を無力化し、短期間のうちに「親中派政権」を成立させて、抵抗勢力を一掃して、秩序を回復するというのが「成功のシナリオ」だが、このシナリオの弱点は2300万人台湾国民の抵抗を「ゼロ査定」している点である。

仮に、正規軍の軍事的抵抗をミサイルやドローンやハッキングで無力化しても、市民のサボタージュや地方での散発的なレジスタンスまですべてを抑え込むことは難しい。そして、そういうグラスルーツの抵抗によって傀儡《かいらい》政権の実現を遅らせることができれば、その間に国際社会からの支援を期待できる。それはウクライナが証明した。

仮に中国軍が全土を平定しても、その後も長期にわたって中国は何十万かの軍人と行政官を台湾に常駐させて、統治システムを管理しなければならない。中国が当てにできるのは、「長いものには巻かれろ」と新しい支配者に従属することになった数百万規模の「親中派」だけである。だが、自己利益の確保のためにあっさりと侵略者に迎合するような「買弁《ばいべん》」マインドの事大主義者たちが集まって作った「傀儡政権」が台湾国民の広範な支持を得ることは期待できない。

ウクライナと同じように、世界の多くの国が対中国経済制裁に参加した場合、中国がこうむる経済リスクは巨大なものになる。そのリスクと台湾を軍事占領することによって得られるメリット（例えば半導体の製造拠点の確保）を比較した場合に、どちらが多いか。ことはここでも「程度の問題」、計量的なメリットの多寡の問題である。

もともと中国共産党の一党独裁は経済成長率が年率6％を割り込んだら「危機水域」に入ると言われてきた。コロナのパンデミックで、中国経済は停滞している。ここで台湾侵攻を強行して、国際的な経済制裁を受けた場合、プーチンと同じく、習近平にも失権リスクが生じる。台湾侵攻を成し遂げて自分の「レジェンド」を作ることのメリットと、経済の失速で失権するリスクを天秤にかけた場合に、どちらが「重い」と習近平が判断するか。習近平はプーチンの行く末を見ながら、それを熟慮しているところだと思う。

それに台湾併合をどうしても果たさなければならない地政学的な緊急性は中国にはない。もともと「華夷《かい》秩序」コスモロジーにおいては、中華皇帝が宇宙の中心にあり、そこから発する「王化の光」が同心円的に拡大し、周縁にゆくに従い光度が減じるという話になっている。周縁は「禽獣《きんじゅう》の類」が棲息する蛮地である。その蛮族が中華皇帝の威光にひれ伏して朝貢する限り、皇帝は彼らに官位を与え、高度な自治を許す。わざわざ中華皇帝は蛮地まで赴いて実効支配することはしない。皇帝が軍事侵攻を命じるのは、蛮族が僭越《せんえつ》にも「われわれは属領ではない」と言い出して、独立を宣言する場合だけである。

辺境に高度な自治を許された属領が存在する「一国二制度」は、中国にとっては「ふつうのこと」なのである。だから、台湾が「独立」を宣言しない限り、中国に対して十分な敬意を示す限り、中国には台湾を併合しなければならない喫緊《きっきん》の理由はない。侵攻の理由があるとすれば、それは習近平の権力基盤が弱まり、求心力を回復するためには中国国民の排外主義的ナショナリズムに訴えるしかないというところまで追い詰められた場合である。

だから、ここでも台湾リスクは「程度の問題」なのである。習近平政権の外交内政がうまくゆき、政権基盤が安定している限り冒険的な軍事行動に打って出る必要はない。でも、経済の失速、コロナ政策の失敗、ロシアの衰退による国際的孤立の深まり、国内の反体制運動……などの不安定要素がいくつか重なり合ったときに、「起死回生の奇策」として台湾侵攻で政権の求心力を一気に高めるという選択はあり得る。

実際に起きていることはさまざまの指標のアナログ的な連続なのだが、それがある閾値《いきち》を超えたところでデジタルな戦略的切断として現象する。だから、注意深い観察が必要なのである。

属領としての日本

翻《ひるがえ》って、日本は台湾の問題とどう向き合うべきだろうか。これまでも繰り返し述べてきている通り、日本はアメリカの西の辺境として「高度の自治」を許されているアメリカ帝国の属領である。属領だから、主体的な安全保障戦略を持つことが許されない。かつては「対米従属を通じての対米自立」をめざして、自前の安全保障戦略を起案しようという気骨のある政治家や外交官がいたが、今はいない。アメリカの世界戦略の中の一つの「コマ」として頤《い》使《し》されることを黙って受け入れる代償として、歴代自民党政権はその「属領の代官」という官位をアメリカ大統領から「冊封《さくほう》」されてきた。従属することにこれだけ長く慣れてしまっては、この後、東アジアの地政学的環境がどう変わっても、日本が自前の国防戦略を提示して、世界をあっと言わせるということは起こらない。これは「絶対に起こらない」と断言できる。

ただ、万が一中国が日本列島に軍事侵攻した場合はその限りではない。というのは、アメリカが属領の保全のために米中戦争に踏み込むことにアメリカ国民の大半は反対するからである。

1945年に二発の原爆を落とした後、アメリカ国民はかなりシリアスな倫理的危機のうちにあった。キリスト教徒とリベラル派を中心にして、「そこまでのことをする必要があったのか?」というきびしい自責の言葉が語られた。それを封じたのは、「原爆を落とさずに、あのまま通常兵器だけで戦争が継続されていれば、アメリカ兵士がさらに100万人戦死しただろう」というヘンリー・スティムソン陸軍長官の(無根拠な)声明であった。アメリカ国民はこのステートメントの真偽を吟味することなく、これにしがみついた。アメリカの青年100万人が死ぬよりも、日本人が50万人死ぬ方がまだ「まし」という「程度の問題」によって、大量虐殺に対する罪責感という「原理の問題」をすり抜けたのである。

このときにアメリカが国民的規模で採用したロジックは今でも生きている。はるか太平洋の西のはずれに位置する属領を守るためにアメリカの青年たちは死ぬべきではない。それはベトナム戦争の悲惨な失敗でアメリカ国民には骨の髄まで浸み込んだ教訓である。これについては「アメリカ・ファースト」を呼号するリバタリアンも、左翼リベラルもそれほど意見に差はない。外国軍が侵略するのが韓国でも、フィリピンでも、あるいはプエルトリコでも、米連邦議会は簡単には出兵を認めないと私は思う。現に、真珠湾が攻撃されてアメリカ人2400人が死ぬまで、ヒトラーのポーランド侵攻から2年間、フランスが攻撃されたときも、ロンドン大空襲で4万3000人の民間人が死んだときも、アメリカは参戦を拒否していた。アメリカは自国民が殺されない限り、戦争にはコミットしてこない。そう腹を括《くく》っておいた方がいい。

「安保条約があるから」と言う人がいるかも知れないが、それはあまりに楽観的に過ぎる。米軍が日本に駐留した理由は、最初は日本国内に残存する軍国主義勢力を一掃するためであり、次はまったく武力を持たない「丸腰」の日本を他国の侵略から防衛するためであった。だが、今の日本国内にはもう駆除すべき「軍国主義者」もいないし、「まったく武力を持たない」わけでもない。だから、理屈から言えば、米軍は日本にいる「義務」はもうないのである。それでも米軍がいまだにいくつも大規模固定基地を持ち、常駐し続けているのは、日本政府が巨額の「思いやり予算」をつけて「そうしてください」と懇請しているからである

（という話になっている）。

アメリカに軍事的な必要があって日本列島にいるわけではない。現に、オバマ大統領のときに、アメリカはグアムまでフロントラインを下げると決定した。海外最大の基地だったフィリピンのスービック、クラーク両基地は撤去され、韓国内の米軍基地も大幅に縮小された。でも、日本の米軍基地だけはそのままだった。在日米軍基地は米軍にとってはもう軍略上たいして重要ではないのだけれど、「日本政府がいくらでも金を出すから、どうしてもいてくれとすがりつくから、いてやっている」という理屈である。

軍事がＡＩ主導のネットワークに切り替わりつつある21世紀において、沖縄のような大型固定基地はもう時代遅れである。そのことは米軍も熟知している。けれども、彼らはこれらの基地は米軍兵士が血を流して獲得した「領土」だと考えている。そうであるなら、ホワイトハウスが軍略を変更しようと、軍事がＡＩにコントロールされたドローンとロボットで戦われることになろうと、既得権としての基地を手放すわけにはゆかない。

そういう理由で日本国内には米軍基地がいまだに存在する。でも、それらの基地はいわば「米軍の資産」であって、「それを守るためならアメリカの青年たちが何万人死んでも構わない」というほどのものではない。太平洋戦争の戦勝の「トロフィー」に過ぎないと言えば過ぎないのである。

だから、日本が仮に中国からの軍事侵攻を受けたとしても、アメリカは日本を守る義務を感じないだろう。そうは言っても、日本を見限って米軍が撤収してしまったら、アメリカは西太平洋における最大の「属領」を失うことになる。これは失うにはあまりに惜しい「植民地」である。

それに日米安保条約があったにもかかわらず、連邦議会が対中国戦争の宣戦布告に及び腰な態度を示せば、日本人の多くは「日米安保条約は空文だった」ということを知る。いったい戦後80年余何のためにここまで卑屈な対米従属をしてきたのか。ただアメリカにいいようにされてきただけなのか。そう知った日本人は絶望し、次に激怒するだろう。「アメリカ許すまじ」と。

日本は失うにはあまりに惜しい。失うには惜しいが、それを守るために血を流すほどの義理はない。となると、アメリカにとっての最適解は「在日米軍基地は今のままで、中国が軍事侵攻してこないこと」、つまり現状維持だということになる。だから、そのためにアメリカは対中国の外交努力を惜しまないはずである。その点がウクライナとも台湾とも事情が違う。

アメリカはこの二国にそれほどの利権を持っていない。日本は違う。日本は米軍にとっては今や海外に残った最大の既得権益である。手放すわけにはゆかない。アメリカの兵器産業だって、不良在庫を業者の言い値でまとめ買いしてくれる最大のクライアントを手放したくはない。だから、アメリカは、「中国からの侵攻があるかも知れないから、とにかく兵器を買え」「米軍に最大限の協力をしろ」という要求はうるさくしてくるが、水面下では、中国が日本に侵攻しないように最大限の外交努力も行うはずである。

結果的にはアメリカの必死の周旋のおかげで中国の日本への軍事侵攻は起こらない。われわれ民草にとってはありがたいことだが、その分その後に「みかじめ料」はたっぷり請求されることになる。というのが私の予測である。


日本が自前の安全保障戦略を持っていれば、自力で中国との緊密なコミュニケーションを立ち上げ、併せて国内の米軍基地の段階的縮小を進めて、中国の不安を除去するという政策を採るはずである。だが、今の日本の政治家にそれを期待しても無駄である。

政治家に見識がないという以上に、そもそも今の日本には「総力戦」を戦う力がない。「総力戦」というのは、国民一人一人が自分の個人的努力と国運の間に正の相関があると信じている国にしかできない。自分が努力すれば、その分国運が向上し、国運が向上すれば、それだけ自分の生活も豊かになるという「リンケージ」を国民の多くが信じている場合にのみ総力戦は戦うことができる。

だが、今の日本にはそのような「リンケージ」が存在しない。安倍政権以来のネポティズム政治のせいで、国民は自分たちがどれほど私権の制限を受け入れても、税金を納めても、それは公共のものとはならず、権力者とその取り巻きたちの特権を増し、私腹を肥やすだけだということを学んでしまった。公共のための努力が権力者とその縁故者を肥えさせるだけである国で、誰が「国のために」汗をかき、血を流すだろうか。

今の日本では指導層は政治家も官僚もビジネスマンもメディア知識人も、「世界のどこでも生きてゆける人たち（Anywherer）」によって占められている。彼らは海外の大学で学位を取り、海外にネットワークを持ち、外国語を流暢《りゅうちょう》に操り、シンガポールやハワイにセカンドハウスを持っている。そうやって日本が沈没しても、自分だけは生き延びることができるように着々と準備をしている。でも、「日本が沈没しても自分だけは生き延びられるくらいに目端の利いた人間」が日本の政策を決定すべきだというのはあきらかに倒錯である。

本来、国民国家の政策は「祖国でしか生きて行けない。母語しか話せない。自国の料理でないとものを食べた気がしない。自国の自然の中にいて、その宗教や伝統文化や芸能に触れていないと生きた心地がしない」という人たち、つまり「そこでしか暮らせない人（Somewherer）」のために起案されなければならない。

そういう人たちなら、祖国を守ることは、そのまま自分の命と生活を守ることになる。そういう人たちを基本にして、そういう人たちが愉快に、健康に、豊かに暮らせるように努力することが国家目標であるなら、「祖国を守る」という言葉にはしっかりした手触りがあるだろう。

だが、「どこでも生きて行ける人たち」には祖国を守る義理はない。どれほど同胞が貧しくなろうとも、他国に侮られようとも、生態系が破壊されて居住不能になっても、「ああ、そうですか。それはお気の毒に」で立ち去ることができる。そんな人が指導層を形成していたり、オピニオン・リーダーであるような国が「総力戦」を戦えるはずがない。

先ほどから「自前の安全保障戦略」という言葉を何度か使ったけれども、その一番基本にあるのは「総力戦を戦える力」である。区々たる外交的なマヌーヴァーのことを言っているのではない。個人の努力と国運の盛衰が同期しているという国民的規模の信憑が定着している国だけが総力戦を戦える。今の日本にはそのような信憑が存在しない。だから、戦えないのである。いくら「愛国心を持て」とうるさく命じても、命じているその当人たちが「愛国心名義」でかき集めた国民からの供託物をどうやって自分の懐に入れるのかの算段をしているようでは誰が愛国心など持てようか。

個人的に能力が高い人はいくらもいる。だが、彼らはその能力を行使して得たものを「私財」として退蔵するだけである。退蔵どころか、公権力を私用に用い、公共財を私財に付け替える権利を手に入れたことに嬉々としている。エリートたちに才能があればあるほど、努力をすればするほど、その成果が社会的に評価されればされるほど、公共が痩せ細り、国運が衰微してゆく。この逆説的なループの中に今の日本はどっぷりと嵌り込んでいる。

（「月刊日本」２０２２年５月号）

ロシアと日本　衰運のパターン

大阪のとある市民集会で「ウクライナとカジノ」という不思議な演題での講演を頼まれた。はて、どうやってこの「二題噺」を仕上げようか悩んだ末に「ロシアと日本の衰退には共通パターンがあるのでは」という仮説について話すことにした。

ロシアはとうから経済大国ではない。GDPは世界11位、イタリア、カナダ、韓国より下で、米の7%、日本の3分の1ほどである。一人当たりGDPは世界67位。ハンガリー、ポーランド、ルーマニアといったかつての衛星国より下である。旧ソ連は物理学では世界のトップを走っていたが、ソ連崩壊以後のノーベル賞受賞者は5人。平和賞のドミトリー・ムラトフは反権力メディアのジャーナリスト、4人の物理学賞受賞者のうち一人は米国に、一人は英国に在住している。ロシアの体制にはもう知的なイノベーションを生み出す文化的生産力は期し難いように見える。

外形的な数値ではまだ日本の方がまさっているけれど、長期低落傾向に伴う社会的閉塞感は両国に共通している。

システムの刷新が行われず、権力が一握りのグループに排他的に蓄積し、イエスマンしか出世できず、上司に諫言する人は左遷され、「オリガルヒ」や「レント・シーカー」が公共財を私財に付け替えて巨富を積む一方、庶民は劣悪な雇用環境の下で苦しんでいる……列挙すれば共通点はいくらでもある。

安倍晋三元首相がプーチン大統領に「ウラジーミル。君と僕は、同じ未来を見ている」と満面の笑みで語りかけたのは、今にして思えば、あながちリップサービスでもなかったのである。たしかにこの二人の権力者が見ていた未来はかなり似ていた。それは「未来がない」ということである。

ロシアと日本に共通しているのは「未来のあるべき姿」を提示できないという点である。どちらの国でも指導者が語るのはもっぱら遺恨と懐古と後悔である（「あいつのせいで、こんなことになった」「昔はよかった」「あのとき、ああしておけばよかった」といった文型が繰り返される）。

その怒り悲しみは主観的には切実なものなのであろう。だが、それがどれほど本人にとって切実であっても、未来を胚胎《はいたい》しないメッセージは他者の胸には響かない。「ああ、そうですか。それはたいへんでしたね」という気のないリアクションしか返ってこない。

そんなことを言う人はあまりいないので申し上げるが、私が「未来」と呼ぶのは、「私たちが味わったような苦しみ悲しみを、誰にも、二度と経験させたくない」という強い思いを足場にして望見される「未来」のことである。

戦争であれ、貧困であれ、疫病であれ、痛みと苦しみの経験を持つ人たちは誰でも「もう二度とこんな苦しみを味わいたくない」と思う。思って当然である。でも、そこからさらに一歩を進めて、「私だけではなく、誰にも同じ苦しみを味わって欲しくない」という願いを持つ人はそれほど多くない。だが、そのような願いをつよく持つ人がめざす未来だけが他者の心に触れる。そのような「未来像」だけが人種や宗教や言語の差を越えた現実変成力を持つことができる。

ロシア人も日本人も戦争という外傷的経験で深く傷ついた。そのことを否定する人はどこにもいないだろう。しかし、そこから引き出した指針はせいぜい「二度とあんな思いはしたくない」という悔いにとどまった。どちらの国も自分たちの痛苦な経験を「世界の誰もが、私たちが味わったような痛みと苦しみを二度と味わうことがありませんように」という祈りにつなげることはできなかった。そのような祈りにつなげることができなければ、かつて傷つき苦しんだ人たちを「供養する」ことにはならないと私は思うけれども、ロシアでも日本でもそういう考え方をする人はこれまでつねに少数にとどまったし、これからも多数派を占めるとはとても思えない。

だから、私はこの両国には残念ながら「未来がない」と思うのである。ごく常識的なことだと思うのだが、メディアを徴する限り、同じことを言う人を見たことがないので、私が代わって申し上げることにした。

（2022年5月2日）

複雑系と破壊のよろこび

年頭にはよく「今年はどうなる」という予測を求められる。予測が外れても失うほどの知的威信もないので、気楽に予測を語ってきた。10年スパンの国際情勢についての予測などはそこそこ当たるけれど、1年くらいのスパンでの政治についての予測はだいたい外れる。それは政治が複雑系だからである。

「複雑系」というのは「北京で蝶がはばたくと、カリフォルニアで嵐が起きる」というカラフルな喩えから知れるように、わずかな入力差が巨大な出力差として現象するシステムのことである。そして、政治や経済は複雑系である。

ロシアのウクライナ侵攻はプーチン大統領の脳内に兆した「主観的願望」がスイッチになった。冷静なテクノクラートが側近にいて「大統領、それほど簡単にウクライナは降伏しませんよ。長期戦になるとロシアは失うものが多すぎます」と諫言していれば、プーチンも再考したかも知れない（しなかったかも知れない）。でも、この選択によって世界の政治と経済は劇的に変化した。

経済もそうだ。イーロン・マスクがSNSで陰謀論や中傷が行き交うことが「言論の自由」だという独特の考え方をしたせいで、テスラの株価が暴落して、彼は個人資産の半ばを失った。

誰かの脳裏に浮かんだアイディア一つで政治や経済は激震をこうむる。世界的な影響力を持つ誰かの脳裏にいつどんな思念が浮かぶか、そんなことは誰にも予測できない。複雑系についての予測がおおかた外れるのはそのせいである。

逆に出力と同程度の入力がないと変化しない惰性の強い系もある。教育や医療や司法はそういう系であるし、そうでなければならない。たとえ変わる場合でも、氷の上を歩くようにゆっくり進まねばならない。

ところが、現代日本社会では、もうこの常識が通じなくなっている。直近の選挙で多数派を占めた政党が、惰性の強い制度をいじりまわすことを市民が当然だと思うようになったからである。

この数年間、わが国で起きた「とんでもない事件」のほとんどは、恒常的・安定的に管理運営されなければならないシステムに、政治家とビジネスマンが手を突っ込んできて、複雑系のように運営しようとしたせいで起きている。

「あらゆるシステムは民間企業のように経営されるべきだ」ということを涼しい顔で言い立てる人たちがいるけれども、それは端的に間違っている。政治やビジネスはそれで構わないが、教育や医療や司法や行政や社会的インフラのような「社会的共通資本」と呼ばれる制度については、政権交代したから教育制度が変わったとか、株価が下がったので医療制度が変わったとか、台風が来たから司法判断が変わったとかいうようなことがあってはならない。こういう制度は入力にかなり大きな変化があっても、制度そのものは「昨日と同じように」管理運営されていなければならない。現に私たちはそういう制度が短期的には変わらないことを前提にして生きている。

政治やビジネスの世界と、社会的共通資本の間には、乗り越えてはならない厳然たる境界線がある。その常識をある時期から日本人は放棄してしまった。たぶんわずかな入力で長い間続いていた堅牢な制度が激変するのを見ると（自分がその被害者である場合でさえ）、ある種の全能感のようなものを感じるのだろう。

私は合気道の師の多田宏先生から「破壊することは、創造するときに要する力の100分の1でできる」と教わった。だから、全能感を手早く求める者は必ず破壊に走る。先生の教えはそう続いた。

破壊することで得られる全能感に淫する人が今の世界にはあまりに多い。年頭に師の教えを改めて肝に銘じたい。

（「山形新聞」2023年1月10日）

『ストーリーが世界を滅ぼす』書評

『ストーリーが世界を滅ぼす』（ジョナサン・ゴットシャル、月谷真紀訳、東洋経済新報社、2022年）の書評を頼まれて、「東洋経済オンライン」に寄稿した。

「ポスト真実の時代」という言葉が私たちの時代を形容する語としてふさわしいものであると実感されたのはいつか。これについてはかなり厳密に時日を挙げることができる。それは2017年1月22日である。その日に放送された「ミート・ザ・プレス」のインタビューにおいて、アメリカ合衆国大統領顧問ケリーアン・コンウェイは、ホワイトハウス報道官ショーン・スパイサーが、第45代アメリカ大統領ドナルド・トランプの大統領就任式には「過去最大の人々が就任式をこの目で見るために集まった」と虚偽の言明をしたことについて問われ、その言明は「もう一つの事実（alternative facts）」を伝えるものだとして報道官の発言を擁護したのである。

この世界には単一の、客観的な現実などというものはもう存在しない。存在するのはさまざまな視座から眺められ、さまざまなフレームで切り取られ、さまざまなコンテクスト上に配列された、似ても似つかぬ事実たちである。

alternative facts を日本のメディアは「もう一つの事実」と訳したけれど、よく見るとわかるとおりコンウェイはこのとき複数形を使っている。「もう一つ」どころじゃないということである。

このようなシニカルな態度は「ポストモダニズムの頽落《たいらく》した形態」だと診断する人たちがいる。傾聴に値する知見だと思う。

ポストモダニズムは「直線的な物語としての歴史」や「普遍的で、超越的なメタな物語」を「西欧中心主義」としてまとめてゴミ箱に放り込んでしまった。歴史解釈における西欧の自民族中心主義を痛烈に批判したのは間違いなくポストモダニズムの偉業である。しかし、「自分が見ているものの真正性を懐疑せよ」というきびしい知的緊張に人々は長くは耐えられない。人々は「自分が見ているものには主観的なバイアスがかかっている」という自己懐疑に止まることに疲れて、やがて「この世のすべての人が見ているものには主観的なバイアスがかかっている」というふうに話を拡大することで知的ストレスを解消することにしたのである。

彼らはこういうふうに推論した。

「人間の行うすべての認識は階級や性差や人種や宗教のバイアスがかかっている（これは正しい）。人間の知覚から独立して存在する客観的実在は存在しない（これは言い過ぎ）。すべての知見は煎《せん》じ詰めれば自民族中心主義的偏見であり、その限りで等価である（これは誤り）。」

　こうして、ポストモダニズムが全否定した自民族中心主義がみごとに一回転して全肯定されることになった。これが「ポスト真実の時代」の実相である。気の滅入る話だが、ほんとうなのだから仕方がない。

　ロシアのウクライナ侵攻は「ウクライナの指導部はナチだ」という「ロシアのナラティブ」の帰結であるが、政策の淵源が妄想的なナラティブであることは戦争で現実に人々の身体が破壊され、都市が焼かれることを妨げない。いや、むしろ妄想的なナラティブほど強い現実変成力を持つ。

　ジョナサン・ゴットシャルの『ストーリーが世界を滅ぼす』はこのようにして「物語が世界を滅ぼしつつある」現実についての豊富な実例の提示と、そこからの離脱の企て（これは希望的観測にとどまる）を記したものである。その問題意識は次の言葉に尽くされるだろう。「政治の分極化、環境破壊、野放しのデマゴーグ、戦争、憎しみ――文明の巨悪をもたらす諸要因の裏には必ず、親玉である同じ要因が見つかる。それが心を狂わせる物語だ。本書は人間行動のすべてを説明する理論ではないが、少なくとも最悪の部分を説明する理論である。

　今、私たちがみずからに問うことのできる最も差し迫った問いは、さんざん言い古された『どうすれば物語によって世界を変えられるか』ではない。『どうすれば物語から世界を救え

るか』だ。」(29―30頁、強調は著者)

物語が私たちを魅了するのは、それにたしかな実効性があるからだ。ゴットシャルによれば、私たちが今も愛用しているナラティブの原型は新石器時代からそれほど変わっていない。最新の人類学的知見は狩猟採集民がとてもフレンドリーで相互扶助的なコミューンを形成していたということを教えている。

「狩猟採集民の生活の大原則は非常に単純だ。仲間を結束させることは何でもせよ。仲間割れの元になるようなことはするな。分断の種を蒔くな。(食物、セックスパートナー、注目など)自分の分け前以上を独り占めするな。腕力に恵まれていてもそれを誇示するな。狩りの才能や魅力的な容姿があっても他人にひけらかすな。つまりは、良い人であれ。」(161頁)

そのような原始の共同体を安定的に維持するためにストーリーの太古的な原型が創り出された。宗教や道徳や経済活動や親族形成についての規範をメンバーたちが深く内面化するための最も効率的な道具が物語だったからだ。「私たちは物語を通して最も多く、最もよく学ぶ」(45頁)。物語を通じて集団の若き成員たちは、集団の宇宙観と価値観と美意識と行動規範を身につける。

けれども、物語が狩猟採集民由来の太古的な起源を持つという事実そのものが物語の限界にもなる。

物語は発生的には結束力のある、同質性の高い小集団を形成するための装置だった。ということは、それは同時に「他者」「外部」との間に決定的な境界線を引くための装置でもあったということである。

排他的な暴力の起源が自分の属する集団への過剰な帰属感、共感の過剰であることを私たちは知っている。テロリストが敵に鉄槌《てっつい》を下さなければならないと感じるのは、敵によって苦しめられている同胞に対して深い共感を覚えるからである。身内に対する共感が敵を罰するインセンティブになる。

「強い憎しみの裏には強い愛がある。その憎しみと愛はすべて、物語によって——実際の歴史、古代の宗教神話、悪の陰謀物語への耽溺によって吹き込まれた。」(177頁)

たしかに「ストーリーテリングのビッグバンは共感のビッグバンをもたらした」のだけれども、それと同時に「物語は共感の数だけ非情さを生む」ものでもあった。(177頁)「共感」には「ダークサイド」がある。

この「ダークサイド」のもたらす害をどうやって抑制し、最少化するか。それがゴットシャルの物語論の実践的な主題である。「どうやって物語から世界を救うか」がポスト真実の時代の喫緊の学的課題であるというゴットシャルの意見に私は深く同意する。

「物語から世界を救う」手段をゴットシャルは二つ挙げている。

一つは他者への共感を育てることのできるタイプの物語。もう一つは科学である。

物語はもともとは小さい集団を結束させるための装置であり、集団の外部や他者との間にコミュニケーションの回路を立ち上げるための装置ではなかった。けれども、すぐれた物語は読者や聴き手を「他者の心の中」に送り込むという想定外の機能を発揮することができた。「物語は共感装置だ。これが機能するとき、私たちは別の世界、別人の心の中に飛ばされる。物語をお互いを他者として見るのを、究極の形でやめさせてくれる。つまり『彼ら』が『私たち』になる。物語の力が最大限に発揮されるとき、私たちは相手との違いは幻想であり、偏見には根拠がないことを教えられる。」（１７３頁）

ゴットシャルが引用している歴史学者リン・ハントによれば、18世紀になってから奴隷制、家父長制、拷問などが「突如として非難されるようになった」ことの大きな原動力は「新しいストーリーテリングの形態、すなわち小説の登場」だったそうである。「ハントによれば、小説は自分の家族や血族や国やジェンダーの外にいる人々に共感することを教え、それによって人類史において最も重要な道徳革命のきっかけを作った。」（１７４頁）

これはストーリーテリングについての気の滅入る話ばかり読まされてきた読者にとっては例外的な朗報である。ハントによれば、共感能力は筋肉のようなもので、フィクションを消費すれば消費するほど共感の「筋力」は強化されるのだそうである。にわかには同意しがたい意見だけれども、文学的素養のない人たちが他者の内面についての想像力の行使を惜しむ傾向があるのはたしかな事実である。

ゴットシャルが期待するもう一つの知的な装置は科学である。

「科学とは本質的に、現実に関するナラティブのどれが真実でどれが偽物かを見つけ出すために人間が考え出した、最も信頼のおける手法である。（…）科学は、私たちのエゴや物語が私たちに見せたいものではなく、私たちの目の前に実際にあるものを強制的に見せる一つのツールである。」（238頁）

この科学への信頼という点で（プラトンへの手厳しい批判と併せて）ゴットシャルがカール・ポパーの『開かれた社会とその敵』の熱心な読者だったことが推察される。「ロビンソン・クルーソーは科学的であり得るか？」というわかりやすい例を挙げて、ポパーは「科学性とは何か」について独特の定義を下した。

無人島に漂着したロビンソン・クルーソーが孤島に研究室を建て、そこで精密な観察と分析を行って学術論文を書いたとする。孤独な研究者が発表したその論文の中味は現在の自然科学の到達点とみごとに一致するものであった。さて、ロビンソンは「科学者」だと言えるだろうか？

ポパーは「言えない」と答える。ロビンソンの科学には科学的方法が欠如しているからである。「彼の成果を吟味する者が彼以外におらず、彼個人の心性史の不可避的な帰結であるもろもろの偏見を訂正しうる者が彼以外にはいない」からである。

「人が判明でかつ筋道の通ったコミュニケーションの修練を積むことができるのは、ただ自分の仕事をそれをしたことのない人間に向かって説明する企てにおいてだけであり、このコミュニケーションの修練もまた科学的方法の構成要素なのである。」（『開かれた社会とその敵』）

　ロビンソンの知見が「科学的でない」と判定されたのはその科学的知見が間違っていたということではない（実際に正しかった）。そうではなくて、ある言明が科学的であるか否かは、その言明が「真か偽か」のレベルにではなく、「公共的か否か」のレベルにおいて決されるということなのである。

「私の言うことは真理である。誰が反対しようが私の言明の真理性は揺るがない」と揚言する人の語る言葉は（たとえ真であっても）科学的ではない。「私の仮説は間違っているかも知れない。それについての事後的検証を待ちたい」と語る人の言明は（たとえ間違っていても）科学的である。そういうことである。

「われわれが『科学的客観性』と呼んでいるものは、科学者の個人的な不党派性の産物ではない。そうではなくて科学的方法の社会的あるいは公共的性格の産物なのである。そして、科学者の個人的な不党派性は（仮にそのようなものが存在するとしてだが）この社会的あるいは制度的に構築された科学的客観性の成果なのであって、その起源ではない。」（同書、強調は内田）

　科学が科学的であり得るのはそれが「社会的あるいは公共的性格」を持つときだけである。

科学者は個人的な努力によって科学的であることはできない。自分が語る科学的言明の真偽、当否についての検証と判断を社会的・公共的な場に委ねることによってはじめて科学的であり得る。

科学のそういういささか込み入った性格にゴットシャルは「物語からの離脱」の手がかりを見る。

ただ、ゴットシャルはどうやって科学に対する信頼を私たちの中にもう一度根づかせるかについて、特に効果的なアイディアを持っているわけではなさそうである。それは仕方がないと思う。世界を覆い尽くしているこのコミュニケーション・ブレークダウンを解決する方法まで彼に望むのは「ねだり過ぎ」というものだろう。

それでも、ゴットシャルは、著作の最後の方で、私たちが自分の信念が真実であるかどうかを自己決定することができない以上、自分と異なる信念を持つ他者に対して、せめて「敬意」と「畏怖」を持つことを私たちに勧めている。

「『彼ら』の——あなたにとっての『彼ら』が誰であれ——世界観の物語があなたの物語とは噛み合わず気に障ったとしたら、彼らはかわいそうな人なのかもしれない、場合によっては恐れるべき相手なのかもしれないが、軽蔑の対象ではないと理解しよう。あなたがそうすれば、『彼ら』があなたに対して同じ敬意を払ってくれる可能性は高い。」（２１９頁）

他者との相互理解はたぶん不可能である。だったらせめて「敬意」くらいは持ってもよいのではないかとゴットシャルは書いている。その通りだと思う。

「敬」という漢字の原義は白川静先生によると「羊頭の人の前に祝禱の器を置く形。羌人《きょうじん》を犠牲として祈る意」というようなかなか血なまぐさいものである。そこから「つつしむ、神事につかえる、うやまう」などの意が生じた。「敬」を用いた最も印象的なフレーズは「鬼神を敬して之を遠ざく。知と謂《い》うべし」である。

ゴットシャルがポスト真実の時代に立ち向かうときの実践的結論としてたどりついたのがもし「他者は敬してこれを遠ざく」という知見であったとしたら、それは孔子が「知」と呼んだものと図らずも符合する。私はそのことに深い感興を覚えた。

（「東洋経済オンライン」２０２２年8月23日）

『「意識高い系」資本主義が民主主義を滅ぼす』書評

『「意識高い系」資本主義が民主主義を滅ぼす』(カール・ローズ、庭田よう子訳、東洋経済新報社、2023年)の書評を「東洋経済オンライン」に寄稿した。

「ウォーク資本主義(woke capitalism)」とは聴き慣れない言葉である。本書はこの「聴き慣れない言葉」の意味をていねいに教えてくれる。でも、説明されても「ああ、『あのこと』ね」とぽんと膝を打つという人はあまりいないと思う。woke capitalism は日本にはまだ存在しないからである。

woke は wake(起こす、目覚めさせる)という他動詞の過去分詞である。「目覚めさせられた」という意味だが、60年代からアフリカ系アメリカ人の間では「人種的・社会的差別や不公正に対して高い意識を持つこと」という独特の含意を持つようになった。そういう意味で半世紀ほど使われたあとに、意味が逆転した。

意味を逆転させたのは「政治的に反動的な信念を抱く人々」である。彼らは差別や不公正に対して「高い意識を持つ」というプラスの意味を反転させて「誤った、表面的な、ポリティカル・コレクトネス的な道徳性」(19頁)をふりかざして大きな顔をする「いやなやつら」

というネガティヴな含意をこの語に託した（wokeに「意識高い系」という訳語を当てた訳者のセンスはすばらしい）。たしかに、「意識高い系」のセレブたち（レオナルド・ディカプリオとか）が気候変動サミットにプライベートジェットで乗りつけるさまを見ていると、「彼らの政治的信念の信憑性、少なくともその一貫性についてはシニカルにならざるをえない」のもわかる。（19―20頁）

アマゾンの元CEOジェフ・ベゾスは「気候変動がわたしたちが住むこの惑星に与える壊滅的な影響と闘うため」の基金に100億ドルを寄付した。政治的にはまことに正しい行為である。だが、その一方で、アマゾンはありとあらゆる手立てを講じて納税を回避している。「2010年から2019年までの間に、アマゾンは9605億ドルの収益を上げ、268億ドルの利益を蓄積したが、納めた税金は34億ドルだった。（…）2018年に、アマゾンは110億ドルの利益を上げたにもかかわらず、アメリカで法人税をまったく払っていない。2019年の利益は130億ドルだったが、実効税率はわずか1・2％だった。」（165頁）

アマゾンがフェイスブック、グーグル、ネットフリックス、アップル、マイクロソフトなど「法人税逃れのならず者たち」の中でも「最大の悪党」と呼ばれても「驚くには当たらない」と著者は書いている。（166頁）

NFLのスター選手コリン・キャパニックは2016年に試合開始前の国歌斉唱を拒否し、膝をつくというパフォーマンスによって、「アフリカ系アメリカ人の権利を求める公然たる不屈の政治的アクティビズム」(202頁)のシンボルとなった。彼はインタビューに対して「黒人や有色人種を抑圧する国の国旗に誇りを示すために立ち上がるつもりはありません」とその行為を説明した。彼はそのシーズンの間国歌斉唱のたびに膝をついて、全米に賛否の論争を巻き起こした。支持者たちからは「新しい公民権運動の顔」と称され、ドナルド・トランプは「あのクソ野郎を今すぐフィールドから追い出せ」とNFLのオーナーたちを煽った。

その結果、NFLはキャパニックの行動を「自分たちの商業的利益にならない」と判断して、次のシーズンに彼と契約するチームは一つもなく、キャパニックは早すぎるリタイアを迎えることになった。

ところが、2018年9月NFL開幕直前に、キャパニックは「何かを信じろ、たとえすべてを犠牲にすることになっても。#Just Do It」というツイートを上げた。Just Do It はナイキのスローガンである。そして、その後ナイキは「ドリーム・クレイジー(とことん夢見ろ)」という大規模な広告キャンペーンを展開した。TVCMのナレーションを担当したのはキャパニック。彼は「どんな障害があっても自分の夢を追いかけよう」と呼びかけた。(201頁)

トランプは激怒し、このキャンペーンのせいでナイキは「怒りとボイコットで息の根を止められるだろう」と予言した。同時に、トランプは、キャパニックの「非愛国」的ふるまいのせいで、アメリカ人たちはフットボールの試合をテレビで観ることを止め、それがNFLに莫大な損害を与えるだろうとも予言した。

このときトランプは図らずもアメリカにおける右派の三つの伝統的立場を明らかにした。一つは「伝統的な愛国者は国旗国歌に敬意を示すべきである」、一つは「資本家は雇用している労働者を支配できる」、一つは「ある種の政治的主張は経済リスクを伴う」である。愛国心、労使関係、政治的主張と商業的利益の関係、三つの大きな論件をトランプはキャパニックの一件で前景化してみせた（わずかな語数で問題の本質を明らかにできるという点でたしかにドナルド・トランプは一種の天才である）。

これに対してナイキは「正反対の商業的・政治的論理」（209頁）を掲げているトランプと全面戦争に入ることを選択をした。

「愛国的であるとはどのような行為のことを指すのか」、「労働者は資本家に対してどのようにして自分たちの権利を守るべきか」。この二つはいわば「近代的な」問いである。さまざまな人がこれまでそれぞれの知見を語ってきた。でも、第三の問いは違う。これは近代においてはたぶん一度も（マルクスによっても、ウェーバーによっても）立てられたことのない問いである。それは「政治的に正しくふるまうことは、そうでない場合よりも多くの経済的なベネフィットをもたらすか?」である。そして、2018年にナイキはこの問いに「政治的に正しい方が儲かる」という答えを出してみせた。

ナイキの「ドリーム・クレイジー」キャンペーンは最終的に大成功を収めた。「大手企業ブランドがキャパニックのアクティビストとしての大義を支援することに、感銘を受けた左派の人々もいた。(…) 揺るぎない政治信念を持つ人物と関わるリスクは十分に報われた」のである。(212頁)

このキャンペーンの後、ナイキの株価は5%上昇し、時価総額は60億ドル増加したからである。

だが、これを woke capitalism の圧倒的勝利と見なしてよいのだろうか。これに対して著者はいくつかの留保をつける。

一つはアマゾンにおける脱税と同じように、ナイキは「スウェットショップ問題」を抱えていたからである。

sweat shop とは「搾取工場」、低賃金労働者が違法な労働条件で酷使される工場を意味する。90年代にナイキの製造工場の非人道的な低賃金と過酷な労働を扱ったドキュメンタリー映画が公開されたとき、それは世界的なスキャンダルを引き起こした。ナイキは労働条件の改善を約束したが、いまだ十分には実現していない。

もう一つの留保は、キャパニックがナイキのスポークスパーソンに選ばれても「アメリカの黒人の不安定な生活は少しも変わらないという事実が覆い隠されている」ことである。（220頁）

ただし、この指摘は「あら探し」に類するものと言ってよいと思う。一人のアクティヴィストはナイキからいくばくかの経済的利益を得たが、アフリカ系アメリカ人全員は同じような恩恵に浴していない、だからこんな運動に意味はないというのは言い過ぎである。進歩というのは斉一的に実現するものではない。少しずつランダムになされるものだ。

そして、もう一つナイキの勝利に対しての留保がある。これがこの本の核心である。それはナイキがキャパニックのアクティヴィズムと歩調を合わせたのは、それによって得られる商業的利益をめざしたからだというものである。ナイキは商業的利益やブランドイメージの改善を得られる見込みがあったので、キャパニックの政治的主張を利用した。「企業が自分たちの利益のために、他者が作り出した流行に乗っているだけではないかと問うべき理由は十分にある。」（221頁）

ここで話がややこしくなってくる。woke capitalism は「意識高い」に軸足を置いているのか、「資本主義」に軸足を置いているのか、どちらなのか。

NFLは2020年のシーズン開幕戦で国歌斉唱の前に Lift every voice and sing を演奏

することを決めた。19世紀から歌い継がれてきた奴隷制の記憶と自由を求める闘いを歌った「黒人の国歌」である。この歌を開幕戦で流すことについて、NFLは「人種差別と黒人への組織的抑圧を非難し（…）かつてNFL選手たちの声に耳を傾けなかったことは過ちであると認め」た。（226頁）2017年のキャパニックの事実上の追放からわずか3年間でNFLは180度方向転換したことになる。

もちろんこれはジョージ・フロイド暴行殺人事件（2020年5月）のあと全世界に広がったBlack Lives Matter運動に直接反応したものである。世論の圧倒的な流れに直面してNFLは豹変したのである。

「NFLはビジネスであり、ビジネスである以上、顧客を無視するわけにはいかない。（…）世界がブラック・ライヴズ・マターを支持するならば、NFLもそうすることが商業的には当然である。」（230頁）

このNFLの変節を著者はきびしく咎める。NFLがBLM運動への支持を表明したのは、ただそうしないと顧客が離れると思ったからである。NFLだけではない。

「あらゆる種類の企業が素早くこの流れに乗り、公式に声明を出して支持を表明した。現に、

反人種主義への支持が主流となった政治的環境において、世界中の企業が急に政治的に覚醒したふりをした。」（231頁）

著者はこれを「企業が自らのブランドを政治的大義と一致するように行動する『ブランド・アクティビズム』」とみなす。それは「国民感情へのあからさまな迎合」であり、「中身を伴わない『売名行為』」に過ぎない。

「わたしたちは真の変化を目撃しているのではなく、企業の富と利益を増大させるために黒人の抵抗を利用する、一筋縄では行かない人種的資本主義の拡張を見ているのだ。この場合のウォーク資本主義は、黒人や労働者階級の人々を搾取するもうひとつの形態にすぎない。搾取は彼らの身体の労働にとどまらず、彼らの闘争、政治、思想、精神にまで及んでいる。」（245頁）

ウォーク資本主義が信用ならないものであることは本書の指摘の通りである。次の問題は、題名にあるように、それが「民主主義を破滅させる」というのはどういうことか、である。著者はこう説明する。

自由民主主義国家は三つのセクターに分かれる。第一のものは政府、警察、司法機関、公立学校、病院などの公的セクター。第二が営利企業。第三が非政府の公共機関。教会、スポーツクラブ、慈善団体など。ウォーク資本主義の特徴は、第二の営利企業セクターが、他の二つのセクターの仕事を代行してしまうという点にある。つまり、国家の全領域が私企業の「それは儲かるのか?」というロジックに従属するということである。

ウォーク資本主義は原理的に非民主的である。これは当然である。アマゾンにしても、ナイキにしても、政治的イシューに大きな影響力を及ぼすわけだけれども、影響力をどう行使するかを決めるのは、CEOやマーケティングや広報のスタッフなど一握りの人間である。彼らが「政治的に正しくふるまうと、どれくらい儲かるか」について思量し、決断を下す。あまり儲からないという予測が立てば、政治的に正しくふるまうインセンティブは消える。

一握りの人間が政府の領域にまで入り込んできて、公共の利益がいかにあるべきかを決定することは許されるのか。彼らが仮に善意の人であり、その行為が公共の利益にかなうものであるとしても、その手続きは民主的とは言われない。

2010年にビル・ゲイツとウォーレン・バフェットは大規模な社会貢献キャンペーンを始めた。イーロン・マスク、マーク・ザッカーバーグら大富豪たちの支持を得て、「社会の最も差し迫った問題に取り組むために、自分たちの富の大半を提供することを誓」った。(2

89頁）彼らが供出した数千億ドルの原資は「『気候変動、教育、貧困緩和、医学研究、医療サービス、経済開発、社会正義』に関わるプロジェクトに使われることになる。」（290頁）

初発の動機は善良であるが、これだけの規模の慈善事業を担うことのできる国家が見当たらない場合、彼らは国家の代理をつとめることになる。

「ウォーク資本主義の下では、社会的不公正や貧困の解決をもう国家に頼ることができない。そこで、社会は、ご主人さまの食卓から落ちてくるパンくずという慈善に頼ることになる。」（291頁）

資本主義はひたすら貧富格差を拡大している。今、世界の人口の1％に当たる超富裕層が世界の富のほぼ半分を所有している。

「世界で最も裕福な10人の富の合計は7450億ドルとなる。これは、スイス、スウェーデン、タイ、アルゼンチンのそれぞれの国のGDPよりも多い。」（106頁）

世界ははっきりと超富裕層とそれ以外に二分されてしまった。そして、この超富裕な資本家たちが「資本主義を道徳的に裁定する者として自らを位置づけている」。（110頁）つまり、彼ら資本主義企業の所有者たちは「公共の福利とは何であり、そのために何をなすべきか」の決定権を国家から奪ってしまったのである。

もう選挙によって代表を選ぶというような面倒な手間をかける必要はない。超富裕層の人々に政策実現をお願いすればいいのである。それが聞き届けられれば、民主主義を経由するよりはるかに迅速かつ確実に「公共の福利」が実現する可能性がある。

もちろん、条件がある。「彼らに絶対に損はさせない」という条件である。彼らが超富裕であり続けるシステムそのものには決して手をつけないという条件さえクリアーすれば、彼らは気前よく金をばらまいてくれる（はずである）。

「つまりは、億万長者の贈与は、そもそも彼らを億万長者にしたシステムに根本的な変化が起きないようにすることと、引き換えなのである。」（２９２頁）

２０１９年の香港の民主化闘争のとき、ＮＢＡのヒューストン・ロケッツのＧＭ、ダリル・モーリーは抗議デモを応援するメッセージをツイートした。「自由のために闘おう。香港とともに立ち上がろう」と。このツイートを不快に感じた中国バスケットボール協会はこの「不適切な発言」に強く反対して、チームとの交流と協力を停止すると発表し、中国中央電視台はロケッツの試合の放送を禁止した。ＮＢＡは40億ドル以上と言われる中国ビジネスを守るためにモーリーの発言を謝罪するという道を選択した。
「NBAと中国の騒動ではっきりしたのは、いざというときには、ウォークな資本家にとって第一の動機は経済であり、政治はそれが経済を支える場合にしか価値がないということだった。」（305頁）
これが著者カール・ローズのウォーク資本主義に対する最終的な評価の言葉である。

以上、本書の所説を紹介してきた。最後に少しだけ私見を書きとめておきたい。

本書を読んで、私はちょっとアメリカが羨ましくなった。というのは、わが国には「ウォーク資本主義」がまだ登場していないからである。「まだ」というより、これからも登場しないような気がする。日本の資本主義はナイキが戦った当の相手であるドナルド・トランプが代表する「新自由主義」的資本主義の段階にいまだあり、そこから先へ進むようには見えないからである。

本書巻頭解説で、中野剛志氏は、ウォーク資本主義の萌芽的形態が日本にも現れてきたことを指摘しているけれど、私は日本については「ウォーク資本主義が民主主義を滅亡させる」ことをそれほど気に病む必要はないと思う。日本の民主主義を今滅亡させつつあるのは新自由主義者たちの「意識低い系」資本主義の方であり、たぶんこちらの方が手際よく日本の民主主義に引導を渡してくれると思う。

むろん、そのことは本書の価値をまったく減ずるものではない。本書がわれわれに教えてくれる最も貴重な情報は、日本にはウォーク資本主義が出現する歴史的条件が整っていないという事実である。日本の資本主義はアメリカのビジネス書がもうリーダビリティを失うほどに世界のトレンドから遅れているという事実である。

（「東洋経済オンライン」２０２３年５月２日）

複雑な話は複雑なまま扱うことについて

「複雑な現実は複雑なまま扱い、焦って単純化しないこと」というのは私が経験的に学んだことの一つである。「その方が話が早い」からである。話は複雑にした方が話が早い。私がそう言うと、多くの人は怪訝な顔をする。でも、そうなのだ。いささか込み入った理路なので、その話をする。

私は人も知る病的な「イラチ」である。「イラチ」というのは関西の言葉で「せっかち」のことである。どこかへ出かけるときも、定時になったらメンバーが全員揃っていなくても置いて出かける。宴会でも時刻が来たら主賓が来ていなくても「じゃあ、乾杯の練習をしよう」と言ってみんなに唱和させる（主賓が着いたら「乾杯の儀に粗相があってはならないので、繰り返しリハーサルをしておきました」と言い訳する）。

そういう前のめりの人間なので、当然ながら話をするときも最優先するのは「話を先に進めること」である。ぐずぐずと話が停滞することも、一度論じ終わったことを蒸し返されるのも大嫌いである。そういう人間が長く対話と合意形成の経験を積んできた結論が「話を複雑にした方が話は早い」ということであった。

多くの人は「話を簡単にすること」と「話を早くすること」を同義だと考えているが、それは違う。話は簡単になったが、そのせいで現実はますます手に負えないものになるということはしばしば起こる。現実そのものが複雑なときに、無理に話を簡単にすると、話と現実の間の隔たりが広がるだけである。そこで語られる話がどれほどすっきりシンプルでも、現実との接点が失われるなら、その「簡単な話」にはほんとうの意味で現実を変成する力はない。

そう書いておいてすぐに前言撤回するのも気が引けるが、実は「簡単な話」に基づいて現実を変成することは可能なのである。だからこそ人々は「簡単な話」に魅惑され、それに固着しもするのである。

話を簡単にするというのは、単に知的負荷を軽減してくれるというだけでなく、たしかにある種の実効性はある。ただし、複雑な現実を簡単な話に還元することによって出現させられた「現実」はいわば力任せに、無理やりに創り出したものである。そういう「無理やり変えた現実」には「現実である」必然性が欠けている。だから、保持力がない。そのうちに「無理」が祟《たた》って、内側から壊れてゆく。そして、形状記憶合金のように、元の「複雑な現実」という本態に戻ってしまう。何一つ解決しないままに。

ギリシャ神話にプロクルステスという盗賊が出てくる。彼は街道沿いで待ち構えて、通りがかりの旅人に彼の寝台で休息するように声をかける。そして、寝台に寝かせて、相手の体が寝台からはみ出したらその部分を切断し、逆に寝台の長さに足りなかったら足を無理やり寝台の長さにまで引き延ばした。

複雑な現実を簡単な話に落とし込む人を見ていると、私はこのプロクルステスの故事を思い出す。当然のことながらそんなことをすると天罰が当たる。神話によれば、英雄テセウスがやってきて、プロクルステスを彼の寝台に寝かせてはみ出した頭と足を切断してしまった。「プロクルステスの寝台」というのは「無理やり出来合いのスキームに落とし込むこと」を意味する喩えとして今でも使われるが、そういう無理をするとかえって自分の頭と足を切られて絶命することになるのである。

だから、現実を切り縮めることも、現実になかったことを書き加えることも、どちらも止めた方がいい。現実はできるだけ現実そのものの大きさと奥行きと不可解さを込みで扱う。たしかに手間はかかる。それに誰がやっても、多少は「切り縮めたり、書き加えたり」という作為は免れない。でも、それを当然のように行うか、疚《やま》しさを覚えつつ行うかの間には千里の径庭《けいてい》がある。

「話を簡単にする」方法の中で最も簡単なのは「問題を消す」ことである。問題があるのに、「そこには問題などない」と言い立てるのである。

例えば、北方領土についての日ロの意見はずいぶんと食い違っているが、最大の食い違いは、ロシアが「北方領土はもともとロシア固有の領土であるので、日本との間に領土問題などは存在しない」と主張し始めたことである。「そこに問題がある」ということを当事者双方が認めているからこそ話し合いは始まるのだが、当事者の一方が「問題はない」と言い出したら、問題は未来永劫解決しない。

ナチスは紀元前から続く「ユダヤ人問題」の「最終的解決（the final solution）」とはユダヤ人を「消す」ことだという天才的なアイディアを思いついた。問題の当事者がこの世からいなくなれば、問題もなくなる。

第三帝国の宣伝相だったヨーゼフ・ゲッベルスは１９４１年に「ユダヤ人問題に関して、総統は問題を簡単にすることにした」と日誌に記しているが、これは「問題を簡単にする」というフレーズの最も印象的な用例として記憶しておいてよいと思う。しかし、歴史が教えてくれるのは「最終的解決」によって話を簡単にしようとしたせいで、ドイツ国民は永遠に解決できない問題を抱え込んでしまったということである。

さすがにこれはかなり極端な事例だが、問題を簡単にするためにふつう「陰謀論」が採用される。これはたいへん使い勝手がよいので、あらゆる人々があらゆる政治的難問についてこれを準用する。

「陰謀論」というのは、何か「都合の悪いこと」が起きたときに、それを「邪悪なるものの干渉」として説明する態度のことである。その集団がかつて「本来の純良な状態」にあったときには、たいへん豊かで生産的で効率的だったのだけれど、外部から異物が混入してきて、集団を「汚染」したせいで、「本来の姿」を失ってしまった。だから、混入した異物を特定し、これを摘抉《てきけつ》排除すれば、集団は原初の清浄と活力を回復するであろうというのが「陰謀論」の基本的な話型である。

われわれの集団のどこかに「悪の張本人（author）」がいる。それを名指した時点で仕事はほとんど終わる。あとはみんなで総がかりでその「張本人」を迫害して、叩き出せばいい。「誰が張本人か」を探し出すまでは「犯人捜し」に多少は頭を使わなければいけないけれど、張本人の名指しが終わったあとは、力仕事だけで、知的負荷はゼロになる。だから、世界中の人がこの「簡単な話」に偏愛を示す。政治的カリスマはあるが、頭があまりよくない政治的指導者はほぼ100パーセントこの話型でその政策を実現しようとする。

陰謀論は民衆の政治的熱狂を掻き立てるという点においては圧倒的な力を発揮する。それはナチスにおいてもスターリンにおいても毛沢東においてもイスラム原理主義においても実証済みである。

破局的な大事件が起きたときに、陰謀論者は、それがいくつかの複合的な原因の帰結であるというふうに考えない。単一の「張本人」がすべてを計画し、差配していると考える。

例えば、フランス革命は巨大な政治的変動であったが、それを王政の機能不全、資本主義の発展、啓蒙思想の普及などの複合的な効果とは考えずに、フランスのすべてを裏から支配している「秘密組織」の計画の実現とみなすのが陰謀論である。
この場合、「張本人」は必ず「秘密組織」でなければならない。というのは、革命が起きる直前まで、フランスの警察はこのような巨大な運動を一糸乱れぬ仕方で統制しうるほどの実力を持った「組織」が存在することを知らなかったからである。だから、「闇の組織」だということになる。とりあえず「秘密組織」が存在することは自明とされる。だとすれば、次の問題は「それは誰だ?」ということになる。フリーメイソン、イリュミナティ、聖堂騎士団、英国の海賊資本、プロテスタント……さまざまな候補が挙げられ、最終的に「ユダヤ人の世界政府」が「オーサー」だという話に落ち着いた。フランス革命後に、ユダヤ人が被差別身分から解放され、市民権を獲得し、政治経済メディアの各界にはなばなしく進出したという歴史的事実が目の前にあったからである。ドリュモンはこう書いた。「フランス革命の唯一の受益者はユダヤ人である。すべてはユダヤ人から始まる。だから、すべてはユダヤ人のものになるのである。」(『ユダヤ的フランス』)
ある出来事の受益者がその出来事の「オーサー」であるという推論は論理的には成立しない。それは「風が吹けば桶屋が儲かる」という事実から桶屋は気象をコントロールできる謎の力を有していると推論するのと同程度に没論理的である。だが、この陰謀論にフランスの読者は飛びつき、『ユダヤ的フランス』は19世紀フランス最大のベストセラーになった。そして、ドレフュス事件はこの荒唐無稽な陰謀論が一人のユダヤ人将校を破滅させるほどの現実変成力を持っていることを世界に示したのである。

（2022年8月13日）

Ⅱ 沈みゆく社会

安倍元首相銃撃の報に接して

信濃毎日新聞の「今日の視角」の私の連載分は金曜日の正午が締め切りなので、参院選の結果がわからない段階だったけれども、「参院選の歴史的意味」というタイトルですこし長めのタイムスパンの中でこの選挙の歴史的意味について思うところを書いた。

原稿を書き上げた直後に「安倍元首相が銃撃されて心肺停止」というニュースが飛び込んで来た。少し締め切りを遅らせてもらって、とりあえずニュース第一報が入った時点でのこの事件についての私のコメントを記しておくことにした（が、最終的な掲載は別の原稿に差し替えた）。

安倍氏の容態についても、犯人が何者でいかなる動機に基づくテロであるのかも、決定的な情報がない段階で書いているので、この原稿が紙面に出る頃には、私の書いていることが事実誤認であったり、無意味なものになっている可能性は残るが、それでも今書くべきことは書いておきたい。

いかなる政治的立場にある人間に対しても、その活動を妨害するために暴力を用いることは絶対に許されない。「絶対に許されない暴力」の犠牲になった安倍氏に対しては、立場を越えてすべての国民がその無事を祈っていると思う。私はほとんどすべての政治的イシューについて氏の掲げる政策に反対してきたけれども、今はただ彼の健康の回復と政界復帰を願っている。どれほど妥協の余地のない政治的対立であっても、その理非を決するのは「自由な言論」の審級であるべきで、それ以外の手段を私は受け容れない。そのことをもう一度繰り返しておきたい。

けれども、この数年、日本社会で政治を語る言葉は年を追って「自由な」というよりは「節度を失った」ものになってきていた。そのことはみんな感じていたと思う。

それでも、「暴力的な言葉」はただの「言葉」に過ぎない、言葉が人を深く傷つけることはない。そう信じていた人も多いと思う。でも、それは違う。

罵倒や嘘やプロパガンダが言論の場を領するようになると、「聞き届けられるべき言葉」と「消え去るべき言葉」を判定する力が言論の場にはあるという確信を人々は失い始める。自由な言論の場の審判力に対する信頼が失われたときに、物理的暴力の持つ現実変成力への期待が膨張する。言論への信認が失われるときに、物理的な力だけが決定力を持つという忌むべき思想が人々の心に入り込む。このふたつはゼロサムの関係にある。

政治的暴力を抑止するために必要なのは、警察や軍隊の強化ではない。十分な信頼に足るだけ、論理的で、感情豊かで、かつ節度ある自由な言論をもう一度作り直すことだ。その作業なら今すぐここから始めることができる。

（2022年7月8日）

安倍暗殺事件とその背景

この号では参院選の総括を求められている。だが、投票日の二日前に安倍元首相が銃撃を受けて殺害されるという事件が起きた。捜査の過程で容疑者の母親が統一教会の信者であり、犯行動機が統一教会と自民党の久しい癒着にかかわることが分かった。今回はこの事件の意味について書きたいと思う。現在の日本の目を覆うほど悲惨な政治状況の意味も、それでいくらかは明らかになるだろう。

統一教会問題は20年前くらいまではメディアで繰り返し取り上げられた。「霊感商法」や合同結婚式についてのニュースを私は食傷するほどテレビで見せられた。だが、ある時期から「統一教会」という文字列をメディアで目にすることがひどく少なくなった。さすがにこれだけ社会問題になると、教会の社会的影響力も低下し、活動も停滞してきたのだろうと私は漠然と思っていた。私と同じように感じていた人は多いと思う。まさかこれが「統一教会は安全な団体だ」という長期的・組織的な世論形成工作の「成果」だとは思ってもいなかった。そして、銃撃事件は、この「世論形成工作」にかかわった人たちへの殺意にまで至る深い怨恨が存在していたという（私たちがそこから目を背けるように工作されていた）事実を開示したのである。

改めて説明するまでもないと思うが若い読者のために記しておくと、統一教会（Unification Church）は１９５４年に韓国ソウルで文鮮明（１９２０―２０１２）によって設立された宗教団体である。文はみずからを「再臨したメシア」と称し、激烈な反共主義によって、各国の右派政治家たちとつよい結びつきを持った。ＫＣＩＡ（大韓民国中央情報部）の支援を受けて設立され、当時の韓国政府の政治的目的を達成するための組織であったと後年に米下院の調査委員会では報告されている。

日本では１９６４年に宗教法人の認可を受けた。学園紛争が拡大し始めた１９６８年に文鮮明は岸信介、児玉誉士夫、笹川良一らと図って国際勝共連合を設立して、左翼の動きに対する対抗政治勢力を組織化しようとした。学生組織「原理研究会」が全国の大学で展開した布教活動を記憶している人はまだ多い。

文自身はその後米国に活動拠点を移して、企業活動と布教活動を行ったが、世界各地での続発する洗脳や信者の家庭崩壊のため、危険性の高い「カルト」とみなされていた。下院で調査委員会が召集されたことからも、82年に文鮮明が脱税容疑で18か月の実刑判決を受けたことからも、米政府のこの組織に対する警戒的なスタンスは知れる。

その一方で、統一教会は有名人をゲストスピーカーに招くことで「カルト」ではなく、正統的な宗教組織であるという印象を与えるべく懸命に努力してきた。ブッシュ父、フォードという二人の元大統領やゴルバチョフも統一教会がらみのイベントに招かれている（ブッシュはのちに講演料8万ドルの原資が日本の信者から詐取したものではないかと指摘されて慈善団体に同額を寄附している）。

安倍元首相は統一教会の広報誌である『世界思想』の常連であり、2021年9月にはドナルド・トランプ米元大統領とともに統一教会系団体のイベントにビデオレターを送り、統一教会に正当性を与える有名人の役割を演じてきた。元首相はこのような正当性獲得工作の重要なアクターだったのである。

容疑者の犯行動機はまだ不確かであるが、母親が教会に多額の献金をしたために家が破産し、家庭崩壊したことから統一教会に深い恨みを抱いていたということまでは供述している。最初の標的は文鮮明の後を継いだ妻の韓鶴子総裁だったが、警護が厳しくて近づけず、安倍元首相に標的を切り替えたらしいと報道されている。

統一教会は韓国で設立され、活動は全世界にわたるが、その主たる資金源は日本である。日本の「霊感商法」の売り上げと信者からの献金は統一教会の富の70％に達すると『ワシントン・ポスト』は報じている。

統一教会や関連団体のイベントに顔を出し、講演をしたり、祝辞を述べたりした政治家たちが日本には多くいる。彼らは世界的なカルト活動の原資が日本で集金されていた事実を知りながら、教会の活動があたかも「公認」のものであるかのような印象を作り出す工作に加担していたことになる。そして、その見返りに秘書や選挙運動でのボランティアの提供を受けていたのである。

安倍元首相の死後に明らかにされたこれらの事実を前にして、私はここに日本の政治がここまで劣化した原因の一つがあると感じる。

第二次安倍政権では、総理大臣自身をはじめ、統一教会あるいは系列団体の支援を受けている議員が閣僚に多数入閣していた。だが、全国霊感商法対策弁護士連絡会によると、統一教会は2021年までの35年間だけでも、霊感商法による被害件数3万4537件、被害総額1237億円という大規模な事件を引き起こしている。そして、弁護士連絡会は政治家たちにこの事実を示して、統一教会の活動に加担しないように繰り返し懇請を続けてきたのである。

これから後、かかわりのあった政治家たちは「そんな危険な集団とは知らなかった。世界平和を希求しているおとなしい宗教団体だと思った」という言い訳をするつもりだろう。だが、その遁辞《とんじ》は許されるものではない。もし、本当に統一教会は人畜無害な団体だと信じて、弁護士たちの訴えを退けたのだとしたら、それほどまでに世の中の出来事に無知な人間たちに国政を議する資格はないし、逆に、危険な集団だと承知した上で、政治的に利用価値があると判断して、その活動を支援していたのだとしたら、そのことについて政治責任をとらなければならない。常識的にはそういうことになる。

しかし、この常識が日本では通用しないだろう。政治家たちはおそらく誰一人無知を恥じて辞職することも、政治責任をとって辞職することもないと私は思う。

では、この先、元首相の死と統一教会の関連を自民党はどう説明する気だろう。死者は憲政史上最長の在職期間を誇り、「安倍一強」と謳われた元首相である。その業績を顕彰し、その死を悼むためには、それが「予想もされない偶発的なものだった。恨みを買ういかなる理由も思いつかない」と言い続けるしかない。だが、それは「深い恨みを持つ人が少なからず存在することが周知されている組織と久しく親密な関係を続け、それを誇示してきたこと」について、政治家自身も政府も警察もまったく危機意識を持っていなかったと認めることを意味する。

それでも、解党的危機を回避するためにはそういう説明を採用するしかない。だから、これから先政治家たちは「統一教会が危険な団体だとは知らなかったし、その活動に加担することがどんなリスクを意味するかもまったく知らなかった」と口を揃えて言うだろう。免責を手に入れるために無知を装うのはたしかに有効な手立てである。幼児に政治責任を問う人はいないからである。だから、これから後、私たちは「私は世間のことにはまったく疎《うと》い」と公言する人たちが政策決定する国で暮らすことになる。亡国的な風景という以外にこれをどう形容すればよいのか。

（「週刊金曜日」２０２２年7月22日〔№１３８６〕号）

選挙では誰に投票するのか?

参院選が近づいたせいで周りが騒然としてきた。何人かの候補者たちから「推薦人」や「応援」を求められる。私は誰に頼まれても「いいですよ」とお答えすることにしている。そう聴いて「節操がない」と眉をひそめる方もいることだろう。でも、選挙というのはそれほど厳密なものであるべきではないと私は思っている。あの人にもこの人にも当選して欲しい。それがたとえ同じ選挙区で競合していても、そう思う。

私はどの候補者についても私の政治的意見との完全な一致を求めない。かなり違っていても構わない。「私が個人的に暮らしやすい社会を作ってくれるかどうか」を基準にして私は選挙に臨むことにしている。極端なことを言えば、権力者が「内田に発言機会を与えない」「著書を発禁にする」「投獄する」というような命令を下したときに身体を張って反対してくれそうな人であれば誰でもよい。

そもそも私にはどの政党の政策が「客観的に正しい」のかがわからない。外交や安全保障や経済について、私には政策の適否を判断できるほどの知識がない。知識経験豊かな専門家たちの意見が食い違うような論件について素人の私に判断がつくはずがない。

そういう場合には「正しい政策」の選択を諦める。代わりに「私にとって都合の良い政策」

は何かを考える。「万人にとって正しい政策」や「科学的に正しい政策」を私は求めない。人間たちの営みは偶発的過ぎるし、世界の先行きは予見不能だからである。

それでも、歴史を振り返ると、どういう政策が国を亡ぼすことになるのかはだいたいわかる。それは「わが国の本来の姿に戻る」ことをめざす政策である。わが国が「こんなありさま」になっているのは外部から異物が混入してきて社会を汚染したせいである。だから、その異物を検出し、排除すれば社会は「原初の清浄と活力」を回復するであろうというタイプの言説である。

このタイプの妄想を信じた人たちによってこれまでたくさんの人が殺され、多くの価値あるものが破壊された。今ウクライナでロシアがしていることも、新疆ウイグルや香港で中国がしていることも、この「あるべき国の姿」幻想に駆動されているのだと私は思う。だから、これがいずれ両国の「亡国」の遠因になると私は思う。中ロどちらの国民も権力者に圧倒的な支持を与えているけれども、国民ひとりひとりが「わが国はいかにあるべきか?」よりも「これがほんとうに私の暮らしたい社会なのか?」と自問する習慣があれば、今あるような国にはなっていないはずである。

だから私は「わが国の本然の姿はどうあるべきなのか」を論じない。そんなことを論じてもろくなことにはならないからである。それよりは「これがほんとうに私の暮らしたい社会なのか?」を問うようにしている。私は基本的人権が尊重され、市民的自由が守られる社会で暮らしたい。それだけである。国が貧しくてもいい、軍事的強国でなくてもいい。金があり、力があり、隣国から畏怖されているが、権力者におもねる以外に国民に生きる手立てがないような国では暮らしたくない。だから、「私が暮らしやすい社会」にしてくれそうな人なら誰でも私は応援する。

（「中日新聞」２０２２年６月19日）

選挙と公約

為政者が明らかに自分たちに不利益をもたらす政策を実施しているときに、それにもかかわらず、その為政者を支持する人たちがいる。彼らはいったい何を考えているのだろう。

多くの知識人や言論人はそういう人たちは「情報が不足している」のか「情報が歪められて伝えられている」ので、「啓蒙」努力によって政治的態度を改善することができるというふうに考えている。だが、ほんとうにそうなのだろうか。私は最近だんだん懐疑的になってきている。

自分たちを苦しめる政党を支持している人たちは、その事実をたぶん（ぼんやりとではあれ）理解しているのだという気がする。どういう政策が自分たちに利益をもたらし、どういう政策が不利益をもたらすことになるかくらいのことはわかるはずである。外交や安全保障や経済政策については適否の判断が下せないにしても、賃金や税金や社会保障や教育費のことなら自分にとって何が有利かくらいはわかるはずである。それがわかった上で、自分たちをさらに苦しめる政党に投票している。そのような倒錯が国民的規模に行われていると考えないと現代日本の、あるいはロシアや中国の政治状況は説明が難しい。

『撤退論』という本を一緒に書いた政治学者の白井聡さんは、その論考の中でアメリカのダートマス大学のチームが行った日本における政党支持と政策支持の「齟齬《そご》」についての研究を紹介してくれた。直近の衆院選の選挙結果分析なのだが、それによると自民党が圧勝したこの選挙で、自民党の政策は他党に比べて高い支持を得ていない。政策別の支持を見ると、自民党は原発・エネルギー政策では最下位、経済政策とジェンダー政策はワースト2、コロナ対策と外交安保で僅差で首位。

では、なぜ政策が支持されていないにもかかわらず、自民党は勝ち続けるのか。そこで研究チームは政党名を示さないで政策の良否を判断してもらった場合と、政党名を示した場合を比較したのである。驚くべき結果が示された。自民党以外の政党の政策であっても、「自民党の政策」だというラベルを貼ると支持率が跳ね上がるのである。日米安保廃棄をめざす共産党の外交安保政策は非常に支持率が低いが、これも「自民党の政策」として提示されると一気に肯定的に評価される。つまり、有権者はどの政党がどういう政策を掲げているかを投票行動の基準にしているのではなく、「どの政党が権力の座にあるのか」を基準にして投票行動をしているのである。

これは「最も多くの得票を集めた政党の政策を正しいとみなす」というルールをすでに多くの有権者たちが深く内面化していることを示している。有権者たちは自分に利益をもたらす政策ではなく、「正しい政策」の支持者でありたいのである。だから、政策の適否とはかかわりなく「どこの政党が勝ちそうか?」が最優先の関心事になる。その政党に投票していれば、彼らは「正しい政治的選択をした」と自分を納得させられる。

選挙における政党の得票の多寡と、政党が掲げる公約の適否の間には相関がない。考えれば当たり前のことである。歴史を徴すれば、圧倒的な支持を得た政党が国を亡ぼし、正しい政策を掲げていた政党が一顧だにされずに消えた……というような事例は枚挙にいとまがない。

だが、今の日本の有権者の多くは得票数と政策の正否の間には相関があると信じている。「選挙に勝った政党は『正しい政策』を掲げたから勝ったのであり、負けた政党は『間違った政策』を掲げたから負けた」という命題がまかり通っている。現に、政治家たちだけでなく、評論家たちも、ジャーナリストも口を揃えてこの嘘を飽きずに繰り返している。野党指導者までもが「選挙に負けたのは政策が間違っていたからだ」と思い込んで、勝った政党に政策的にすり寄ろうとする。残念ながら、諸君が選挙に負けたのは政策が不適切だったからではない。「選挙に勝てそうもなかったから」負けたのである。

しつこくもう一度繰り返すが、選挙に勝った政党は政策が正しいから勝ったのではない。「勝ちそうな政党」だったから勝ったのである。選挙に負けた政党は政策が間違っていたから負けたのではない。「負けそう」だから負けたのである。

有権者たちは「勝ち馬に乗る」ことを最優先して投票行動を行っている。その「馬」がいったいどこに国民を連れてゆくことになるのかには彼らはあまり興味がない。自分が投票した政党が勝って、政権の座を占めると、投票した人々はまるで自分がこの国の支配者であるような気分になれる。実際には支配され、管理され、収奪されている側にいるのだが、想像的には「支配し、管理し、収奪している側」に身を置いている。その幻想的な多幸感と全能感を求めて、人々は「権力者にすり寄る」のである。

次の参院選では誰もが「野党はぼろ負けする」と予測している。だから、たぶん野党はぼろ負けするだろうと私も思う。みんながそう予測しているからである。「負けそうな政党」があらかじめ開示されているときに「勝ち馬に乗る」ことを投票行動の基準とする有権者が「負けそうな政党」に投票するということは原理的にあり得ない。

２００９年に政権交代があったのは「民主党が勝ちそう」だとメディアが囃し立てたからである。だから、民主党の政策をよく知らない有権者たちもが「勝ちそうな政党に投票する」という、それまで自民党に入れてきたのと同じ理由で民主党に投票したのである。それだけの話である。逆に、２０１２年の選挙のときは「民主党は負けそうだ」とメディアが揃って予測したので、有権者は「負けそうな政党」に自分の一票を入れることを回避したのである。

大阪都構想が住民投票で僅差で退けられたとき、当時の橋下徹大阪市長が記者会見で敗因を問われ「都構想が間違っていたからでしょう」と述べたことがあった。聴いて驚嘆した。投票結果はそこで問われた政策の適否とは関係がない。正しい政策が否決され、間違った政策が採択されるということはいくらでもある。政策そのものの適否と採否の投票結果は無関係である。それはただ「有権者の過半がその政策の実施を望まなかった」という以上の意味を持たない。にもかかわらず橋下市長は自分が推進してきた政策を「間違っていたから否決された」と総括した。これはきわめて危険な言明だと私は思った。それは逆から言えば「正しい政策を掲げた政党は選挙に勝つ」という偽命題に正当性を与えることになるからである。

それを認めてしまったら、もう私たちは権力者に抵抗する論理的根拠を失ってしまう。だから、「正しい」というのは選挙については使ってはならない形容詞なのである。選挙というのは、勝った政党の掲げた政策の方が優先的に実施される可能性が高いという、ただそれだけのものである。それ以上の意味を選挙に与えてはならない。

「正しい政策を選べ」と求められていると思うからそれが分からない有権者は棄権する。だから、これほど棄権率が高いのである。有権者は「正しい」ことを求められていない。「自分が暮らしやすい社会」を想像することを求められているのである。それほど難しい仕事だろうか。

（「週刊金曜日」２０２２年６月17日〔No.１３８１〕号）

新聞メディアの凋落

読売新聞大阪本社と大阪府が情報発信で連携協働する「包括連携協定」を結んだ。「府民サービス向上」と「大阪府域の成長・発展」をめざすと謳っているが、一政党が一元的に支配している地方自治体と大新聞が連携するというのは異常な事態だろう。

ジャーナリスト有志の会がただちに抗議声明を発表し、私も賛同人に加わった。大事なことは抗議声明に書かれている。私が付け加えるとすれば、それはこのふるまいが「新聞メディアの終焉」を告知しているということである。

新聞の発行部数は減り続けている。一般紙の総発行部数は2021年に3065万部。前年比5・5％減である。地区別で見ると、大阪の部数減少幅が大きい。読売新聞は2001年には1000万部だったがこの20年間で部数を30％減らした。購読者の高齢化が進んでいる以上、新聞メディアがビジネスモデルとして破綻するのはもう時間の問題である。不動産を持っている新聞社はテナント料でしばらくは新聞発行を続けられるだろうが、それを「ジャーナリズム」と呼ぶことはもう難しい。

読売新聞が大阪府との連携に踏み切ったのは、そうすることで報道の質が向上すると思ったからではあるまい。「お金が欲しかった」からだろう。

新聞も私企業である。経営上の必要から「金主」を探してどこが悪いという言い分にも一理はある。だが、ことは一新聞の財務問題ではなく、新聞メディア全体の信頼にかかわる。読売のふるまいは新聞メディアそのものに対する国民の信頼を深く傷つけたと私は思う。

仮にも全国に数百万の読者を有するメディアである以上それなりの社会的責務がある。権力の監視もそうだし、「社会の木鐸《ぼくたく》」として世論を導くこともそうだ。だが、最も大切なのは国民的な議論と合意形成のための「対話の場」を提供することだと私は思う。

「対話と合意形成の場」の提供という仕事はマイナーなメディアにはできない。その代わり、マイナーなメディアは「同じ意見の人間だけが集まって盛り上がる」排他的な場であることが許される。というか、その特権を享受することの代償に「あるサイズ以上にはなれない」のである。例えばこの「週刊金曜日」は改憲論者や対米従属論者に発言機会を与える義務を免ぜられているが、その代償はサイズの限界として支払わなければならない。

だが、大手メディアは違う。大手メディアは「広く異論に開かれていること」によってはじめてある程度以上のサイズであることを達成している。言論の多様性を瘦せ我慢をしてでも守り抜くことによってビジネスモデルとして成立しているのである。

理屈を言うが、メディアは単体として「公正中立」であることはできない。「うちは不偏不党にして公正中立なメディアです」といくら訴えてみても誰も信じない。公正中立とはさまざまな異論が自由に行き交い、時間をかけて「生き残るべき言葉」と「淘汰されるべき言葉」が選別される言論の場を維持するという行為そのもののことである。「公正中立な言論」なるものが自存するわけではない。自由な言論が行き交う場は「生き残るべき言葉」と「淘汰されるべき言葉」を識別できるだけの判定力を持っているという信認のことである。対話の場の審判力を信じることを止めれば「公正中立」の居場所はなくなる。

公権力の広報機関になって延命することを経営的には合理的と読売新聞は判断したのだろう。けれど、「さまざまな異論の行き交う場」であろうとする努力を止めたときに、メディアはサイズを失う。読売新聞は経営判断の過ちに気づくのだろうか。

（「週刊金曜日」２０２２年1月21日〔No.１３６１〕号）

70年後のテレビ

という不思議なお題を頂戴した。NHKがテレビ放送を開始したのが70年前なので、70年後はどうなるかを予測して欲しいということである。おそらくアンケート回答者の過半は「70年後にテレビは存在しない」と予測するだろうと思う。問題はいつ頃テレビは消えるかということである。5年後なのか、10年後なのか、それとももう少し生き延びるのか。どちらにしても「程度の差」である。もちろん、業界内部にいる人たちにとっては死活的に重要な「程度の差」だが、遠からずテレビが主要メディアの一角から脱落することは間違いない。

私自身はテレビを見るという習慣を失って久しい。過去数年を振り返っても、目当ての番組を見るためにテレビをつけるという動作をしたのは国政選挙の開票速報のときだけである。今はそれも放送開始と同時に「当確」が打たれて、大勢が決してしまうので、そこで見るのを止めてしまう。

今もリビングにいるときは50インチの受像機の前が私の指定席だけれど、それはNetflixやPrime Videoやケーブルテレビで配信されるドラマや映画やスポーツ中継を見るためであって、テレビを見るためではない。たまに間違ってテレビをつけてしまうことがあるが、見たことのない人が大声を出しているか、知らない商品のCMかどちらかなので、すぐに切ってしまう。私にとってテレビは情報を得るためであれ、娯楽番組を見るためであれ、もう日常的に利用するメディアではなくなった。私の周りでもテレビ番組のことが話頭に上ることはもう絶えてない。韓流ドラマの話はよく話題にのぼるが、どれも有料配信のものについてである。この趨勢は止まらないだろう。

ＮＨＫはもうしばらくは「国営放送」（政権の広報媒体）として延命できるかも知れないが、民放はある時点でビジネスモデルとしては成立しなくなると思う。民放というビジネスモデルは、スポンサーがテレビＣＭに投じる出稿料（その相当部分を代理店が抜く）が、ＣＭの効果による収益増を上回ったと判定された時点で終わる。その計算はそれほど難しいものではない。

このあと日本では急激な人口減が始まり、経済活動の低迷が続く。庶民の消費活動が鈍化し、湯水のようにお金を使えるのは一握りの富裕層だけということになると、テレビＣＭによって商品売り上げが激増するというような事態はもう起きない。タワーマンションのペントハウスに暮らす富裕層たちの欲望はそもそもテレビＣＭによって喚起されるようなレベルにはないからだ。

この逆風に抗《あらが》って民放モデルを維持しようとしても、テレビ制作側にできることはもうあまりない。できるのは、コンテンツの制作コストを削ることと、ＣＭ出稿料を切り下げて「どんな企業でもテレビＣＭが打てます」という状態にすることくらいしかない。でも、そんなことを続ければいずれテレビは見るに堪えないものになるだろう。

コマーシャルを流す代わりにコンテンツを無償で配信するという「民放というビジネスモデル」そのものは非常によくできたものだったと思う。これを思いついた人は天才である。でも、それは右肩上がりの経済成長が続き、消費者が新奇な商品に対する情報に「飢えている」世界を前提にしたビジネスモデルである。

若い人には信じられないだろうけれど、テレビの全盛期に私たちはCMに対して番組そのものと同じくらいの集中力を向けていた。1950～60年代に私が「テレビっ子」だった頃、CMの時間を我慢してやり過ごしたという記憶が私にはない。子どもたちはCMソングをテレビに合わせて唱和した。『月光仮面』は「タケダタケダタケダ～」という武田薬品のCMと「込み」の番組であったし、「わ、わ、わ～、輪が三つ」というミツワ石鹼のCMは『名犬ラッシー』の「序曲」であった。CMはコンテンツの重要な構成要素であり、番組の魅力とCMの訴求力は混然一体となっていた。提供される番組を私たちは「太っ腹なスポンサーからの贈り物」として受け取っていた。だから、その感謝の気持ちを（自腹で商品を買うだけの財力はなかったので）、学校の行き帰りにCMソングを高唱したり、母親が買い物をするときにいくつかの選択肢があれば「私の好きな番組のスポンサーの商品」を買うように懇請することで表現したのである。

フレドリック・ブラウンのSF短編に『スポンサーから一言』という作品がある。番組放送に際して、もし「スポンサーから一言」という要請があれば、テレビ局も視聴者も黙ってそれを拝聴しなければならないという黙契が1950年代のアメリカには存在した。ブラウンの短編では、全視聴者はこのスポンサーからの謎めいた一言をどう解釈するか知恵を絞る（おかげで人類は破局から救われる）。

スポンサーが享受していたこの例外的な威信は今のテレビにはもう望むべくもない。コンテンツはコンテンツ、広告は広告、その間には特段の情緒的なつながりは存在しない。だから、自分が定期的に視聴している番組についてさえ、そのスポンサーに「こんなすばらしい番組を提供してくれてありがとう」という感謝の気持ちを抱く視聴者はほとんどいない。番組への愛着がスポンサーが販売する商品にある種の「オーラ」を与えていたという牧歌的な時代はもうだいぶ前に終わった。「テレビの魔術」はそのときに消えたのだと思う。

（「GALAC」2023年4月号）

パワークラシーの国で

若い経済学者が高齢社会対策として高齢者の「集団自決」を求めた発言がニューヨークタイムズに大きく報じられた。

「炎上」発言をしたイエール大学助教の成田悠輔氏について、記事は「米国の学界ではほとんど無名だが、日本のSNSでは、その極端な見解のせいで、老人支配で割りを食っていると思っている不満な若者たちを中心に数十万のフォロワーを獲得し」、「社会的禁忌を嬉々として破ることで熱狂的な視聴者を獲得してきた日本の扇動者の一人」と紹介していた。

記事を読んでいささか考え込んでしまった。日本社会を「老人支配（gerontocracy）」と呼ぶのは果たして適切であろうかと思ったのである。

たしかに日本社会には「権力を持つ老人たち」がはびこっていて、若い人たちのキャリア形成を阻んでいるのは事実である。だが、他方には圧倒的多数の「権力を持たない老人たち」がいる。彼らは支配され、収奪され、権利を軽んじられる側にとどまっている。このような社会を「老人支配」と呼ぶことが適切であろうか。

では、どう呼べばいいのか、しばらく考えているうちに「権力者支配（powercracy）」という言葉が思い浮かんだ。

むろんそんな政治用語は存在しない（今私が思いついたのだから）。だが、「権力を持つ者が権力を持つ」「支配する者が支配する」という日本の政体の同語反復性を形容するには「パワークラシー」という語が適切なのではあるまいか。

ふつうは王政であれ、貴族政であれ、寡頭《かとう》政であれ、民主政であれ、主権者はその権利を正当化する根拠を示す。「神から授権された」とか「民意を負託された」とか、あるいは端的に「賢明だから」とか。「パワークラシー」は違う。権力者の正統性の根拠が「すでに権力を持っている」ということだからである。

「パワークラシー」の国では、権力者批判が許されない。権力者を批判できるのは権力者だけだからである。選挙で相対少数になった野党には政権を「批判」する資格がない（できるのは「反発」だけである）。市民にも政治について不満を述べる権利はない。不満を口にすると「だったら、お前が国会議員になればいい」と言われる。メディア有名人を批判すると「だったら、お前が有名になって、メディアで自説を語ればいい」と言われる。

「パワークラシー」の国では、権力者が権力者であるのは、政治的に卓越しているからでも、知的に優れているからでも、倫理的に瑕疵がないからでもない。すでに権力を持っているからである。これが「パワークラシー」である。「パワークラシー」の社会では、「権力的にふるまうことができる」という事実そのものが「権力者であること」の正統性の根拠になるのである。なんと。

先日、ある政治家が国会議員を引退するに際して息子を「跡目」に指名するということがあった。日本ではよくあることである。「跡目」を継ぐことになったその息子はさっそくホームページに自分の家系図を掲げて、近親者に三人の総理大臣を含む何人もの国会議員がいるという「毛並みのよさ」を誇示してみせた。自分が国会議員として適格であることの根拠として「国会議員を輩出している家系に属する」ことを掲げたのである。

たぶん本人も、それを提案した周りの人間も、それが一番アピールすると信じたからそうしたのだろう。「すでに権力の側にいることが、今後とも権力の側にいるための最優先かつ必須の条件である」という「パワークラシー」信仰をこれほど無邪気に表明した事例はさすがに珍しい。

わが国が「パワークラシー」の国だと考えると、当今の権力者たちの異常な言動が理解できるはずである。彼らの非論理性や非倫理性は、別に何らかの政治目的の達成のために採択された非情な手段ではないのである。権力者であるために必要なのは、卓越した政治的見識を持つことでも、雄弁の才に恵まれていることでも、人心掌握に長けているからでもなく、「現に権力的にふるまっている」という既成事実だったのである。

だから、彼らは自分たちが「法の下の平等」から除外されていること、「非常識」という評言が自分たちには適用されないこと、他人に無用の屈辱感を与える権利があることを繰り返しアピールすることになる。

まことに困ったことに、「パワークラシー」の国では、権力者だけでなく、権力を持たない一般市民までがその影響を受けて、「権力者であるような顔つき」を競うようになる。

知者が統治する国なら、人々は自分を知者のように見せようとするだろう。有徳の人が統治する国なら、人々は自分もまた有徳者であるように見せようとするだろう。同じ理屈で、権力的にふるまう者が統治する国では、上昇志向に駆られた人々はそれを真似ようとする。

どうも最近、非常識で、傲慢で、攻撃的な人が増えてきたなと思っていたが、あれは別に日本人の人格が劣化したわけではなく、彼らなりに社会的上昇をめざして、「いやな野郎」になるべく努力していたのである。そう気づいて、腑に落ちた。

（「週刊金曜日」２０２３年３月３日〔№．１４１４〕号）

国葬という政治的失着

２０２２年9月19日毎日新聞発表の世論調査では内閣支持率は29％、不支持率は64％。もはや「政権末期」の数字である。なぜ岸田内閣は国民の信をこれほど急に失ったのか。「してはいけないことをした」というよりは「すべきことをしなかった」せいだと私は思っている。

法的根拠のない安倍元首相の国葬を国会の審議を経ず強行したことで一気に支持率は下がった。でも、国民はこのルール違反を咎めたわけではないと思う。政府の「ルール違反」はこの10年もう日常化していたし、それは安倍時代には内閣支持率に影響しなかったからである。

法的根拠のない「超法規的措置」を内閣が断行するということはある。かつて福田赳夫首相はダッカ事件に際して、人質をとった日本赤軍の要求に応じて、獄中の赤軍メンバーを釈放するという超法規的措置を採った。首相はこのとき「人命は地球より重い」という言葉でこの政治判断への理解を国民に求めた。私たちの世代の多くは約半世紀を経た今でも「超法規的措置を正当化するためには、それなりの重さのある言葉が要る」という教訓と併せてこの言葉を記憶している。

しかし、今回の超法規的措置には特段の緊急性はなかった。今すぐ国葬にしなければ誰かが取返しのつかない損害を蒙《こうむ》るという話ではなかった。さらにこの措置を正当化する「重さのある言葉」を首相が語ることもなかった。ただ法治国家のルールを軽視しただけだった。首相がもしこの措置について国民の同意を求める気があったら、国民に向けて情理を尽くして語りかけたはずである。亡き元首相がいかに卓越した政治家であり、その功績が比肩なきものであるかを言葉の限り説いたはずである。

国葬の閣議決定が下った時点では、国民の相当数は国葬の是非について態度を決めかねていた。賛否どちらにでも世論は動く状態だった。そうであれば、首相が故人への崇敬の思いを真率に語れば、国民の相当数は国葬を是としただろう。でも、首相はそれを怠った。在職期間が長かった。内政外交に功績があったというような気のない文章を棒読みしただけだった。

首相は「聞く力」ということを繰り返し語ったが、政治家に最も必要なのは「ここ一番」というときに、割れる世論をとりまとめて、合意形成をもたらす「語る力」ではないのか。耳元で大声でがなり立てる人の話を「聞く」だけで、国民的合意を形成するために「語る」ことを惜しんだせいで、首相は支持を失った。

安倍時代はそれで済んだ。選挙で勝てば「民意は得た」と居直って、個別的な事案については、どれほど国民の反対があっても無視することができた。国民の反対を無視しうるということそのものが磐石《ばんじゃく》の権力基盤の上に政権が成立しているという事実を証し立てていると国民たちは信じ込まされたのである。「あれほど権力的にふるまうことができるのは、実際に権力があるからだ」と国民は合理的に推論して、権力者に抗うことを諦めた。

そのようにして、10年にわたって、法律も憲法も無視し、国民の反対も無視することが「できた」のは、逆説的だけれども、安倍晋三という政治家に「他の総理大臣たちに卓越した力」があったと認めざるを得ない。

民意を得るための最良の方法は民意を得るためにまったく努力する様子を見せないことだというのが安倍政治の「教訓」であり、続く二代の政権はそれを愚直に踏襲して、短期間のうちに支持を失った。

国葬というみすぼらしい政治イベントから岸田首相が「重大事案については、そのつど情理を尽くして国民を説得して、民意を得るために不断の努力をしなければならない」という教訓を得たのだとしたら、民主主義のためには言祝ぐべきことだと言わなければならない。でも、その教訓を生かすだけの時間が彼に残されているかどうかは分からない。

（2022年9月27日）

安倍政治を総括する

「日刊ゲンダイ」に標記のような寄稿を依頼された。いまさら総括でもないけれど、とりあえず言いたいことを書いた。

この10年間で日本の国力は劇的に衰えた。

経済力や学術的発信力だけではない。報道の自由度、ジェンダーギャップ指数、教育への公的支出の対ＧＤＰ比ランキングなどは「先進度」の指標だが、そのほとんどで日本は主要先進国最下位が久しく定位置になっている。

だが、「国力が衰えている」という国民にとって死活的に重要な事実そのものが（報道の自由度の低さゆえに）適切に報道されていない。安倍時代が残した最大の負の遺産は「国力が衰微しているという事実が隠蔽されている」ということだろう。

国力はさまざまなチャートでの世界ランキングによって近似的には知られる。１９９５年世界のＧＤＰに占める日本の割合は17・６％だったが、２０２１年は５・１％である。１９８９年の時価総額上位50社のうち日本企業は32社だったが、２０２２年は１社。経済力における日本の没落は顕著である。だが、日本のメディアはこの経年変化についてはできるだけ触れないようにしている。だから、多くの国民はこの事実そのものを知らないか、軽視している。それどころか、政権支持者たちは安倍政権下でアベノミクスが成功し、外交はみごとな成果を上げ、日本は世界的強国であるという「妄想」のうちに安んじている。

安倍時代における支配的なイデオロギーは新自由主義であった（今もそうである）。すべての組織は株式会社のような上意下達組織でなければならない。「選択と集中」原理に基づき、生産性の高いセクターに資源を集中し、生産性の低い国民はそれにふさわしい貧困と無権利状態を甘受すべきだ。そう信じる人たちが法案を作り、メディアの論調を導いて来た。

その結果がこの没落である。だが、誰も非を認めない。すべては「成功」したことになっている。それは、政権与党が選挙に勝ち続けたからである。安倍元首相は6回の選挙に勝利した。しばしば圧勝した。それは「国民の過半は安倍政権が適切な政策を行ってきたと判断した」ことを証し立てていると政府は強弁した。

たしかに株式会社ではトップに全権が与えられる。トップのアジェンダに同意する社員が重用され、反対する社員ははじき出される。それが許されるのは、経営の適否についてはただちにマーケットが過《あやま》たず判定を下すと信じられているからである。「マーケットは間違えない」というのはビジネスマンの揺らぐことのない信仰である。社内的にどれほど独裁的な権力をふるう経営者であっても、収益が減り、株価が下がれば、ただちに退場を命じられる。

国の場合であれば「国際社会における地位」が株価に相当するだろう。経済力、地政学的プレゼンス、危機管理能力、文化的発信力などで国力は表示される。その点で言えば「日本株式会社の株価」は下落を続けている。しかし、安倍政権下で経営者は交代させられなかった。もし、経営が失敗し、株価が急落しているにもかかわらず、経営者が「すべては成功している」と言い続け、それを信じた従業員たちの「人気投票」で経営者がその座にとどまりつづけている株式会社があったとすれば（ないが）、それが今の日本である。

新自由主義者たちは「マーケットは間違えない」と言い張るが、彼らが「マーケット」と言っているのは国際社会における評価のことではなく、選挙結果のことなのである。選挙で多数派を占めれば、それはすべての政策が正しかったということなのだと彼らは言い張る。だが、選挙での得票の多寡と政策の適否の間には相関はない。亡国的政策に国民が喝采を送り、国民の福利を配慮した政策に国民が渋面をつくるというような事例は枚挙にいとまがない。政策の適否を考量する基準は国民の「気分」ではなく、客観的な「指標」であるべきなのだが、安倍政権下でこの常識は覆された。

決して非を認めないこと。批判に一切譲歩しないこと。すべての政策は成功していると言い張ること。その言葉を有権者の20％が（疑心を抱きつつも）信じてくれたら、棄権率が50％を超える選挙では勝ち続けることができる。

安倍政権が最終的に終わったのはパンデミック対策に失敗したからである。人間相手なら「感染症対策に政府は大成功している」と言って騙すことはできるが、ウイルスに嘘は通じない。科学的に適切な対策をとる以外に感染を抑制する手立てはない。

安倍政権下で政権担当者たちは「成功すること」と「成功しているように見えること」は同じことだと本気で信じ始めていた。だから、「どうすれば感染を抑えられるか」よりも、「どうすれば感染対策が成功しているように見えるか」ばかりを気づかった。東京五輪の強行に際しても、「感染症が効果的に抑制されているように見せる」ことが優先された。それを有権者が信じるなら、それ以上のことをする必要はないと思っていたのだ。今の岸田政権もたぶんそう思っている。

パンデミックについても、気候変動についても、東アジアの地政学的安定についても、人口減少についても、トランス・ナショナルな危機に対してこの10年間日本はついに一度も国際社会に対して指南力のあるビジョンを提示することもできなかった。

司馬遼太郎は日露戦争から敗戦までの40年間を「のけて」、明治の日本と戦後の日本を繋ぐことで敗戦後の日本人を自己嫌悪から救い出そうとした。その風儀にならうなら、安倍時代という没落の時代を「のけて」、10年前まで時計の針を戻して、そこからやり直すしかない。

（「日刊ゲンダイ臨時特別号」２０２２年9月15日）

日本に国防戦略はあるのか？

いささか旧聞に属するが、忘れるわけにはゆかないことなので、ここに記しておく。

バイデン米大統領は、岸田首相との日米首脳会談の後、日本の「防衛力の抜本的強化とともに外交的取り組みを強化する日本の果敢なリーダーシップ」を称賛した。バイデン大統領は日本の防衛費をＮＡＴＯ加盟諸国並みのＧＤＰ２％に増額することを求めていた。岸田首相は財源の裏付けもないまま米の要求を丸呑みしたわけであるから「称賛」されるのも当然である。

しかし、問題は財源がないということよりもむしろ日本に自前の国防構想がないということである。岸田首相は国会審議を経由せず、閣議決定だけで国防の基幹にかかわる政策決定を行った。理由を問われても「アメリカから言われたから」という以外に国民に説明する言葉があるとは思われない。

今回の防衛費増額の根拠は「安全保障環境の変化」である。軍事的危機が高まったので、軍事力を高めるしかないと政治家が説明し、メディアもそれをそのまま伝えている。まるで「台風が近づいていています」というような自然現象のごとく軍事的危機について語っている。

しかし、ちょっと待って欲しい。たしかに台風の発生や進路についてなら、人間の側に責任はない。だが、軍事的危機は当事者たちの脳内で営まれた思考の帰結である。日本人もまた当事者である以上、おのれの「脳内」の点検をまずすべきではないのか。

2015年の安保関連法案採決に際して、当時の安倍首相は法案の必要性を弁じてこう述べた。「日本が武力を行使するのは日本国民を守るため、これは日本と米国の共通認識です。もし、日本が危険にさらされたときには、日米同盟は完全に機能する。そのことを世界に発信することによって、抑止力はさらに高まり、日本が攻撃を受ける可能性は一層なくなっていくと考える。」

あれから8年が経った。強行採決までして法案を通したのであるから当然「抑止力はさらに高まり、日本が攻撃を受ける可能性は一層なくなった」はずである。だが、今政府は「日本が攻撃を受ける可能性はさらに一層高まった」として防衛費の倍増を言い出した。それは安保法案が国防上無効だったということを意味するのではないのか。

だとしたら、まず「国防上無効だった法案を強行採決までして採決したこと」についての反省と謝罪から話は始まるべきだと私は思う。

それとも、あの時点ではあの政策が最善だと思われたのであるが、その後想定外の国際情勢の変化があり、結果として「日本が攻撃を受ける可能性は一層高まった」のだが、それは全く私たちの責任ではないと言うつもりであろうか。

いや、そういう言い訳をしてもいい。私も大人だから、政府に無謬《むびゅう》を求めるような無体は言わない。たぶん、さまざまな想定外の安全保障上の変化があったせいで、「抑止力をさらに高める」ための法案が無効になったのであろう。

だがそれなら、「想定外の安全保障上の変化」に不意打ちされて、今大慌てしているのは、自分たちがどのような情報の評価を誤ったのか、どのような地政学的変化を予測できなかったのか、それをまず自己点検すべきではないのか。その診断結果を開示して、「評価ミスの原因は除去しておきましたので、次は間違えません」と誓言するところからしか「次の話」は始まらないのではないか。

国論を二分させた安全保障政策が外れた以上、政策起案者たちには安全保障上何が有効であるかを思量する能力に大きな問題を抱えていると判断するしかない。その人たちが「こうすれば抑止力は一層高まる」と自信ありげに言うのをどうして信じられようか。

（「山形新聞」2023年2月16日）

「歌わせたい男たち」

二兎社で永井愛さんの『歌わせたい男たち』が14年ぶりに再演される。都立高校の卒業式での国歌斉唱で不起立を宣言している教師と、それを説得する校長との間の緊張した議論を核にした戯曲である。「国旗国歌について」意見を求められたので、次のような文章を寄稿した。

先日ミッションスクールの集まりに呼ばれて講演した。会場は聖公会の学校だったので、講演の前に礼拝があり、会衆とともにオルガンの奏楽に合わせて聖歌を歌い、主の祈りに唱和した。

私はクリスチャンではない。その日の早朝も道場で「朝のお勤め」をしていた。祝詞と般若心経と不動明王の真言を唱えて、九字を切って道場を霊的に清めるのが道場主である私の朝の仕事である。経験を通じて、ある種の儀礼によって「心身が調う」ということがリアルに実感されるようになってから、古人の工夫に敬意と感謝をこめて儀礼を守るようになった。

私自身は宗教儀礼を守るが、門人たちには強制しない。彼らが道場に来る動機はひとりひとり違う。だから、道場という空間への必要な配慮は求めるけれども、それだけである。稽古の前後に一礼する以上のことを私は門人には要求しない。「お願いします」「ありがとうございました」と口にするけれど、これは教える側である私が先に言う。私は道場という場に向かってそう言っている。「これからしばらくの間、よい稽古ができますように」と祈念し、「よい稽古ができました」と謝意を表する。

野球でゲームが始まるときにピッチャーが脱帽してホームベースに一揖《いちゆう》するのと同じである。あれは別に主審に向かって礼をしているのではない。グラウンドに向かって「これからしばらくの間、全員が最高のプレイができますようにお守りください」と祈っているのである。

場に対する敬意というのは、集団において、どの私人にも属さないが誰でもアクセスできる領域、つまり「公共」を立ち上げるためには欠かすことができない儀礼だと私は思っている。そのことはどなたでもご理解頂けると思う。

ここまでは一般論である。問題は、その先にある。国旗国歌への敬意の表明は果たして、ここでいう「場に対する敬意」に相当するのかということである。私は「違う」と思う。国歌を歌い、国旗に一礼するのは「国家に対する敬意の儀礼」である。だから、国民にそうしろと命令できるし、違背した者には処罰が下されて当然だとおそらく多くの政治家や官僚は思っている。でも、これは私が門人に求めている「道場への敬意」とは質の違うものだ。

彼らは自分の意思でこの道場に入門してきたのだし、好きなときに辞めることができる。でも、私たちの多くは日本国民であることの認否について意見を徴されたことがない。気がついたらもう日本国民だった。国旗国歌についてもそうだ。私はそれを制定する場に立ち会っていないし、「国歌国旗はこれでよろしいですか」と当否について意見を徴されたこともない。自分で選んだものではない以上、国旗国歌については「私はそれを受け容れられない」と宣言する権利は全国民に認められるべきだと私は思っている。

ご存じの方も多いと思うが、アメリカ合衆国最高裁は国旗損壊を市民の権利として認めている。かつては国旗の冒瀆を禁止する州の法律があった。だが、20世紀の終わり頃に米最高裁判所はこれらの法律を違憲とした。憲法修正第一条が保障する言論の自由は国旗の象徴的威信より重いと判断したのである。

ただし、一人の最高裁判事は「痛恨の極みではあるが、国旗はそれを侮蔑し手にとる者をも保護している」という補足意見を付記した。

私はこの司法官の葛藤を健全だと思う。彼はアメリカ国民が星条旗に敬意を持つことを願っているが、それは強制によるべきではないと考えた。アメリカという国が全国民の敬意にふさわしい国家になれば、国旗への自然な敬意は生まれる。今、国旗に敬意を欠く人たちがいるのは、アメリカが敬意に値する国でないからだ。だから、国民に国旗への敬意を求めるなら、まず敬意を示されるにふさわしい国を創り上げなければならない。国旗を損壊する市民を罰してみても、それによってアメリカは「敬意に値する国」にはならない。「敬意を示さないと処罰される国」になるだけである。

国旗に対する敬意を実現するために、ある人は「国民に対して国家権力を以て強制する」という方向に進み、別の人は「自然な敬意を持たれるような国を創る」という方向に進む。私は後の方の道を進みたいと思う。

17世紀にウェストファリア条約によって国民国家は国際社会の基本的な政治単位になった。それまでは同質的な国民が、固定的な領土の中に集住し、宗教や言語や文化を共有するということは国家の標準的なあり方ではなかった。それが「デフォルト」になったのは歴史的理由がある。その歴史的理由がなくなればまた別の政治単位が国際関係のアクターになる。国民国家は本質的には暫定的な制度である。でも、しばらくの間（とりあえず私たちが生きている間は）このシステムの中で生きてゆくしかない。そうである以上、この所与の制度をどのように「よりましなもの」「より住みやすいもの」に作り替えてゆくのかということが実践的な課題になる。

「国家などただの幻想だ」と言うことはできるし、原理的にはそれで正しい。でも、そうは言っても、自国の通貨は外貨に両替できる方がいいし、自国のパスポートは外国の入管でも通用して欲しい。「正常に機能する幻想」であって欲しい。

海外に行くと、「日本人としてあなたはこの問題をどう思うか?」という質問をよく向けられる。それについて「私個人は日本という国に何の義理も責任も感じていないので、そんな質問には答えない」という回答は許されない。してもいいが、相手はずいぶん気分を害するだろう。私自身はそういう場合には「日本国民を代表して」意見を述べたり、説明したり、場合によっては謝罪したりする。「日本をできるだけましな国にする」こと、隣国からいくばくかの好意や信頼を得られる国にすることについて私には相応の責任があると思っているからそうするのである。

今の私は求められれば、国旗に一礼し、国歌斉唱に唱和する。若い頃は歌わなかった。「日本はろくでもない国であり、自分はそれを恥じている」と思っていたからである。そんな国の象徴にどうして敬意を示せようか。しかし、ある時期から心ならずも儀礼を守るようになった。もし、日本が「ろくでもない国」であるとしたら、その責任の一端は自分にあると思うようになったからである。人々が、そして私自身がこの国旗と国歌に敬意を向けることがそれほど苦痛ではないようにするためには日本を「少しでもましな国」にする努力をする他ないと考えるようになったからである。

もちろん、これは私の個人的な見解であって、一般性を要求しない。国旗国歌とどう向き合うか、それは国民ひとりひとりの判断に委ねられるべきであって、誰も強制することはできない。そして、国民ひとりひとりの判断を尊重するだけの器量を備えた国の国旗国歌だけが、国民の真率な敬意の対象になり得ると私は考えている。いやがる国民に敬意の表明を強制するような国の国旗や国歌が自然な敬意の対象になることは決してない。

ことは原理の問題ではなく、程度の問題なのである。この先、日本がしだいに「ろくでもない国」になっていったら、ある日私は国旗に礼するのも国歌を歌うのも止めるかも知れない。「昨日まで歌っていたのに、どうして今日から歌わないのだ」と誰かに詰問されたら、「境界線を越えたからだ」と答えるだろう。「もう歌うのが嫌になった」と。

国歌を歌うことができるほどの国なのか、そうではないのか。それを私は日ごと自分自身に問うようにしている。その緊張感を持続することの方が、「いつでも歌う」「いつでも歌わない」とあらかじめ決めておいて、そのルールを守ることよりも、私にとっては国に対する構えとして自然に思えるのである。

そのような緊張感を持っているときに、祖国は私に最も身近に感じられる。

（『歌わせたい男たち』パンフレット　２０２２年11月）

格差について

階層格差が拡大している。所得格差の指標として用いられるジニ係数は格差が全くない状態を0、1人が全所得を独占している状態を1とするが、日本のジニ係数（当初所得）は1981年が0・35、2017年は0・56と上がり続けている。この趨勢はこの先も止まらないだろう。「一億総中流」と呼ばれた国の面影はもうない。

日本における格差拡大の要因は何か。それは雇用形態の変化である。かつては終身雇用・年功序列という雇用の仕組みが日本のどの企業でも支配的だった。

もうその時代を記憶している人の方が少数派になってしまっただろうが、あれはずいぶんと気楽なものだった。植木等の「ドント節」（作詞青島幸男）は「サラリーマンは気楽な稼業ときたもんだ」というインパクトのあるフレーズから始まる。もちろん誇張されてはいるが、それなりの実感の裏付けはあった。

60年代はじめのサラリーマンの日常を活写した小津安二郎の映画では、サラリーマンたちは小料理屋の小上がりで昼間からビールの小瓶を飲んで、午後のお勤めに出かけていた。もちろん全員定時に帰る。私の父もそうだった。毎日、同じ電車で出勤し、同じ電車で帰って来た。雨が降ると、駅前には傘を持って父親を迎えに来た子どもたちが並んでいた。今の人には信じられないだろう。だが、人々がこの判で捺したようなルーティンを営んでいる時代に、日本経済は信じられないほどの急角度で成長していたのである。

それはこの時代の日本人がたいへん効率よく仕事をしていたからだと思う。どうして効率が良かったかというと、「査定」や「評価」や「考課」に無駄な時間や手間をかけなかったからである。

年功序列というのは要するに「勤務考課をしない」ということである。誰にどういう能力があるかは仕事をしていれば分かる。人を見て、その能力に相応しいタスクを与えればいい。別に査定したり、格付けをしたりする必要はない。難しいタスクを手際よくこなしてくれたら、上司は「ありがとう」と部下の肩を叩いて、「今度一杯奢るよ」くらいで済んだ。この時代の日本の会社は言うところの「ブルシット・ジョブ」がきわめて少なかったのである。

「ブルシット・ジョブ」は人類学者デビッド・グレーヴァーの定義によれば「被雇用者本人でさえ、その存在を正当化しがたいほど完璧に無意味で、不必要で、有害でもある雇用の形態」のことである。英国での世論調査では「あなたの仕事は世の中に意味のある貢献をしていますか？」という質問に対して37％が「していない」と回答したそうである。たぶん今の日本で同じアンケートをしたら50％を超えるだろう。

それなしでは社会が成り立たない仕事を「エッセンシャル・ワーク」と呼ぶ。公共交通機関やライフラインの管理運営、行政や警察や消防や、医療や学校教育、衣食住の必需品の生産・流通は「エッセンシャル・ワーク」である。それがきちんと機能していないと世の中が回らない。一方、いなくなっても誰も困らない仕事をする「ブルシット・ジョブ・ワーカー」たちは「エッセンシャル・ワーカー」がちゃんと働いているかどうか管理したり、勤務考課したり、「合理化」したり、組織が上意下達的であることを確認することを主務とする人々である。そして、この人たちの方が「エッセンシャル・ワーカー」よりもはるかに高い給料をもらっている。

不条理な話だが、ソースティン・ヴェブレンの『有閑階級の理論』によれば、人類が農業を始めてからずっとそうであるらしい。実際に労働して価値を生み出している人たちが社会の最下層に格付けされ、自分ではいかなる価値も創出しないで寄食している王侯貴族や軍人や聖職者たちの方が豊かな暮らしをする。

今日本で格差が拡大しているというのは、言い換えると、「いかなる価値も創出せず、下層民の労働に寄生していばっている人たち」が増えているということである。だから、一部の人が天文学的な個人資産を蓄え、圧倒的多数が貧しくなり、集団全体は貧しくなる。

格差というのは単に財が「偏移」しているということではない。格差は必ず、何の価値も生み出していない仕事に高額の給料が払われ、エッセンシャル・ワーカーが最低賃金に苦しむという様態をとる。必ずそうなる。

もし、階層上位者たちが「明らかに世の中の役に立っている仕事」を誠実かつ勤勉に果たしているように見えていたら、私たちは決して「格差が拡大している」という印象を持たないであろう。世の中の役に立つたいせつな仕事をしてくれている人たちがどれほど高給を得て、豊かな暮らしをしていても、私たちはそれを「不当だ」とは思わない。「格差を補正しろ」とは言わない。

だから、今日本で起きていることは単なるジニ係数的な「格差の拡大」ではない。ヴェブレンのいうところの「有閑階級」、グレーヴァーのいうところの「ブルシット・ジョブ・ワーカー」が全員で分かち合うべきリソースの相当部分を不当に占有し、濫費しているという印象を多くの国民が抱いているという事態なのである。「分配がアンフェアだ」という不条理感と、にもかかわらずそれを補正する手立てが見当たらないという無力感が、「格差が広がっている」という一見すると客観的な統計的事実の裏にある心理的事実である。この不合理を解消する手立てはあるのだろうか。

格差があるときに、公権力が強権的に介入して、富裕者から召し上げた富をいったん国庫に納めてから再分配を行うのは難しい。歴史をひもとく限り、ほとんどの「強権的再分配」は失敗している。権力を手に入れた後に「公庫」と「自分の財布」の区別ができる人間は残念ながら例外的である。

だから、いくら「有閑階級」が「ブルシット・ジョブ」で高禄を食んでいても、彼らの懐にダイレクトに手を突っ込んで、他の誰かの懐にねじ込むというやり方は止した方がいい。

たいていの場合、それはさらなる社会的不平等をもたらすだけである。

それよりは富裕者から召し上げたものは「公共財」として、パブリックドメインに供託するのがよいと思う。貨幣として退蔵するのではなく、「みんながすぐに使えるもの」にするのである。学校とか、病院とか、図書館とか、美術館とか、体育館とか、あるいは森や野原や湖沼や海岸というかたちあるものにして、「さあ、みなさんご自由にお使いください」と言って差し出すのである。私が「コモンの再生」ということを主張しているときに考えているのはそういうイメージである。

できるだけ「私有財」のエリアを抑制して、「公共財」のエリアを広げる。美しい森の中を歩いているときに、「私有地につき立ち入り禁止」という看板を見ると私は震えるほど腹が立つ。土地はもともと誰の所有物でもない。それを国や自治体が買い上げても、今度は「公有地につき立ち入り禁止」では何も変わらない。「公有地なので、みんなで使ってください」というのが正しい使い方だと思う。

コモン（Common）というのは中世の英国にあった村落共同体の共有地のことである。村人たちはそこで牧畜をし、鳥獣を狩り、魚を釣り、果樹やキノコを採った。コモンが広く豊かであればあるほど、村人たちの生活もまた豊かなものになった。コモンが消滅したのは、「こんな使い方をしていたのではカネにならない」と言って、私有地として買い上げて、牧羊したり、商品作物を栽培したりする「目端の利いたやつ」が出てきたせいである。それが

「コモンの悲劇」の実相である。そうやって「囲い込み」が行われて、コモンは消滅し、農民たちは没落して都市プロレタリアートになり、産業革命のための労働力を提供し、資本主義が繁盛することになった。

そうやってコモンが消滅したのなら、「コモンの再生」はそのプロセスを逆にたどることになる。それは私有財を「これをみんなで使ってください」と言って公共財として差し出すことである。

「そんなのは絶対嫌だ」と言って、私有財産にしがみつく人間はもちろんいるだろう。いて当然である。その人たちから強権的に私財を奪うべきではない。それは前にやって失敗した。「いやだ」という人は放っておけばいい。「私財を提供してもいい」という人たちの頭数をひとりずつ増やしてゆくだけでいい。

私の道場は現在は私物だが、いずれ寄贈して門人たちに「コモン」として利用してもらうつもりである。そういうささやかな個人の実践の積み重ねが迂遠なようだけれど、一番確実なやり方だと私は思っている。

（「JAcom 農業協同組合新聞」２０２１年９月14日）

Ⅲ　成熟について

病と癒しの物語　『鬼滅の刃』の構造分析

Twitterにも書いたけれど、ある大学から私の文章を入試問題に使ったので、過去問集に採録したいという連絡があった。いったい何を使ったんだろうと思って見たら「週刊金曜日」に寄稿した『鬼滅の刃』論だった。ずいぶんとレアなアイテムを探し出して作問したものである。2020年12月に書いたものなので、何を書いたかすっかり忘れていたので、HDをサルベージして探し出して読んでみたら結構面白かったのでブログに再録。

マンガについて書くのは久しぶりである。数年前に集英社が『ONE PIECE STRONG WORDS』という本を出すことになり、そのときにONE PIECE論を書いたのが最後。尾田栄一郎さんの『ONE PIECE』は当時、世界累計発行部数4億7000万部という桁外れのヒット作品であったので、版元から「どうしてそんなに売れるのか」について理由を考えて欲しいと言われて書いた。不思議な注文である。たぶん「ただすごく売れた」というだけでは出版する側としては気持ちが片づかなかったのだろう。

どうしてあるマンガは世界的なセールスをなしとげ、他のマンガはそうではないのか。そこには何か決定的な違いがあるはずである。それは何か。それを知りたいのは人性の自然であるし、出版人としてはビジネス上の要請でもある。

絵がうまいとか、ストーリーが面白いとか、人物造形に妙味があるとか、セリフが聞かせるとか……そういう「理由」をいくら羅列しても、それだけではヒットの説明にはならない。現に、同じくらい画力があり、ストーリーテラーとしての才能がありながら、あるマンガは何億部というマスセールスを実現するが、別のマンガはそうではないからである。それどころか、同じマンガ家でも、ある作品は社会現象になるほどヒットするが、別の作品はそれほどでもない。では、『鬼滅の刃』に記録的なセールスをもたらしたファクターは何か？　それを考えるのが今回の私のミッションである。

前回は版元の出す本だったので、マンガのトリビアを熟知しているヘビーリーダーを想定読者にして書いた。だが、今回は「週刊金曜日」という『鬼滅の刃』と縁のない媒体である。「週刊金曜日で『鬼滅の刃』の特集をしているから買ってきて」と親の袖を引く殊勝な子どもたちがいるとも思えない。だから、今回は想定読者をがらりと変更して、『鬼滅の刃』を読んでいなくて、12月のある朝、新聞の全面広告を見て、「世の中ではいったいなにごとが起きているのか？」と訝《いぶか》しんだ人のために書く。そういう方たちだって、『鬼滅の刃』の台詞がなぜ総理の国会答弁に引用されたり、一億部のマスセールスを記録したのか、その理由については知りたいだろう。

まずは読んでいない方のためにストーリーを要約する。

大正時代に、人食い鬼たちが出没していた。鬼に噛まれると人間は鬼になる。ゾンビと同じメカニズムである。全部食われると消滅するが、ちょっと噛まれただけだと鬼になる（これもゾンビと同じ）。これが感染症のメタファーであることはすぐわかる。死ねばそれ以上感染はさせないが、感染したまま蘇生するとスプレッダーになる。

主人公は山中に住まう炭焼きの少年竈門《かまど》炭治郎《たんじろう》。彼の留守中、一家は鬼に襲われ、妹の禰《ね》豆子《ずこ》を残して一家は虐殺される。生き残った妹は「感染」しているので、わずかに人間の心を残しながら、なかば鬼化している。妹をもとの人間に戻し、家族の仇をうつために炭治郎は鬼狩りを主務とする「鬼殺隊」に身を投じ、過酷な訓練に耐えて、一人前の剣士となる。そして、人間の心を取り戻し（身体能力は鬼のままの）妹や仲間の剣士たちと手を携えて、異形の鬼たちと死闘を繰り広げる……という話である。

あらすじだけ書くと、「なるほど、コロナの話だったのか」と膝を打つ人がいるかも知れない。たしかにそういう解釈も「あり」だと思う。悪性の感染症に罹患した妹を治癒するために、ワクチンや特効薬を開発する科学者たちと協力して、「ウイルス根絶」のために戦う若き感染症専門医の成長と勝利の物語……。そのまま『鬼滅の刃』はパンデミックの寓話として読むことができるのである。

人獣共通感染症は出会うべきではないものが出会ったことで生まれる。ウイルスは寄生した生物の特徴を取り込んで変異する。致死性の低い「御しやすい」ものもいれば、強毒性の「手ごわい」ものもいる。何よりウイルスは厳密な意味での生物ではなく、他の生物の細胞を利用して自己を複製させる構造体に過ぎない。だから生物学的な意味では死なない。これらの特性は『鬼滅の刃』における鬼の属性とすべて一致する。

鬼たちは繰り返し「自分たちは死なない」と豪語する。「不死」を自称し、「永遠の命」を誇る。でも、実際には剣で斬り殺されることもあるし、薬物で力を失うこともあるし、日光を浴びると例外なく壊死する。だから、鬼たちは論理的にはつじつまの合わないことを主張しているのである。しかし、それも鬼が生物ではなく構造体であると考えれば筋は通る。「寄生した生物は死ぬがウイルスというものは死なない」という命題は間違っていないからである。

それに反して、鬼と戦う剣士＝医療者たちは脆《もろ》い。彼らは次々と傷つき、死んでゆく。彼らには鬼のように手足を切られてもまた生えてくるというような細胞再生能力はない。そもそも鬼を殺すための決定的な方法は存在しないのである。最初は「首を切れば」よかったのだが、ある段階から先になるとそれも通用しなくなる。切られた首がすぐに再生してきてしまうのである。抗菌薬を常用していると耐性のある菌が生まれるプロセスと変わらない。

というわけで、『鬼滅の刃』の説話構造は「鬼殺隊＝医療者、鬼＝ウイルス」という図式でまとめると話は簡単なのである。「なるほど、コロナ禍の渦中にあるときに、この危機をいちはやく『友情・団結・勝利』の物語に落とし込んだことが多くの読者の琴線に触れたのか」という説明で多くの読者は納得してくださると思う。

でも、それは勘違いなのである。というのは、作者の吾峠《ごとうげ》呼《こ》世《よ》晴《はる》さんが『鬼滅の刃』の原形に当たるマンガを『少年ジャンプ』に投稿したのは２０１３年の話であり、『ジャンプ』への連載開始は２０１６年。パンデミックとの同期は完全な偶然だからである。

傑出した作品においては、まるで現実が作品を後追いしているように思えることがある。大友克洋の『ＡＫＩＲＡ』の舞台は翌年には東京オリンピックの開催が予定されている２０１９年のネオ東京（お台場を思わせる東京湾の埋め立て地に林立する高層建築群）である。でも、驚くべきはこのマンガの連載開始が１９８２年だということである。

主人公金田少年は流線形のバイクを巧みに操る。『ＡＫＩＲＡ』以後、バイクメイカーはこの「金田のバイク」を模倣してバイクをデザインするようになった（ホンダＮＭ４、ヤマハ・マグザム３０００などがそうだ）。スピルバーグの『レディ・プレイヤー１』で、空想世界でアルテミスが走らせるのはそのものずばり「金田のバイク」である。大友克洋は38年前に２０２０年の東京の風景と、「復興五輪」と、スティーブン・スピルバーグを高揚させることになる21世紀の先端的マシンをマンガに描き込んでいたのである。

すぐれたマンガは世界の未来を予見する。だから、まるで世界がマンガを模倣しているように思えるということがそこでは起きる。『鬼滅の刃』はそのような例外的なマンガなのだと私は思う。予見性を備えたマンガというものが存在する。人間と世界のあり方についての深い洞察に貫かれている作品であれば、それがマンガであっても、映画であっても、小説であっても、読者や観客に「まるで今ここにいる自分のことを描いている」ような錯覚をもたらすものなのである。では、その「深い洞察」とは何か。

『鬼滅の刃』にはある「構造」が繰り返し反復される。それは「ハイブリッド」あるいは「どっちつかず」ということである。最初から最後までこのマンガにはつねにある種の「混淆」のイメージが取り憑いている。

舞台は「大正」という設定である。大正時代がマンガの舞台になるということはあまりない（私が知っている例は『はいからさんが通る』だけである）。どうして作者がこの時代を選んだのか、よくわからない。背景が大正時代でなければならないような物語上の必然性はないからだ。あるとすれば、それが前近代と近代の入り混じった「汽水域」のような時代だったということである。まだ炭焼きが職業として成立している時代であり、ほとんどの人は着物を着ており、主要産業は農業で、汽車や自動車が珍しい時代である（炭治郎の仲間の一人である嘴平《はしびら》伊之助は山育ちで汽車を見たことがないので、それを生きものだと誤認する）。

そういう風景の中で、剣士たちは筒袖に野袴に羽織に帯刀という戊辰戦争当時の戦闘服を着用している。前近代と近代がこのマンガでは混淆している。作者はたぶん「そういうの」が好きなのだと思う。

剣士と鬼の間もそうだ。ここにも「混淆」が際立つ。一方にイノセントな「善玉」がいて、他方に邪悪な「悪玉」がいるというようなデジタルな区分線が実はない。物語の中心にいて、炭治郎と仲間たちが全力を挙げて守ろうとする禰豆子は「半分鬼」である。「騎士」が「無垢のお姫さま」の純潔を守るというのは騎士物語の定型だが、『鬼滅の刃』で剣士たちが全力で守る「お姫さま」はすでに穢《けが》れた血を持つ病者なのである。

禰豆子を癒す方法を模索する一方で無敵の鬼たちを体内から腐らせる劇毒を調合する珠《たま》世《よ》・愈史郎《ゆしろう》の「医療人ペア」は剣士たちの力強い味方だが、この二人は「元・鬼」である。だから、最後まで鬼的属性をそぎ落とすことができないまま、「改悛した鬼」として鬼狩りに関わる。

炭治郎と同期の剣士である不死川《しなずがわ》玄弥は「鬼を食って」、鬼の能力を取り込むことで戦闘力を高めるという自滅的な大技を使う。

クライマックスでは、最後までイノセンスと純粋性の権化として鬼狩りの主力であった炭治郎自身が彼の倒したラスボス鬼舞辻無惨《きぶつじむざん》の呪いによって鬼化して、鬼の世界と人間の世界の「綱引き」によってかろうじて人間の世界に戻ってくる。

ご覧の通り、剣士たちの中に最初から最後まで「属性がシンプル」というものは一人もいない。全員が何らかのトラウマ的経験とそれから派生する深い屈託を抱えている。トラウマ的経験というのは「あまりに痛苦であるのでそれについて語ることができない経験」のことである。そして、その経験を核として彼らの個性はかたちづくられている。おのれの人間性の核をなす部分について語れないという本質的な弱さを剣士たちは抱え込んでいる。そして、その屈託から剣士たちの個性的な戦闘力は生まれてくる。

同じことは鬼の側にも起きる。彼らも（ラスボスの鬼舞辻を除くと）諸般の事情によって不本意ながら、あるいは自らの意志で鬼になった「元人間」たちである。彼らが鬼になったのは、人間であったときに「もう、いっそ鬼になってもいい」と思うくらいにつらい経験をしたからである。そして、彼らは剣士によって殺されるときに、息を引き取る間際になってかつて自分を鬼に追いやったトラウマ的経験を思い出す。そして、それを剣士に向かって語ることで彼らの症状は劇的に寛解する（そしてこの世から消滅する）。これはそのまま精神分析のメタファーである。

もう文字数がないので、結論を急ごう。『鬼滅の刃』は病と癒しをめぐる物語である（だからこそ偶然にもパンデミックの時期にジャストフィットしてしまったのである）。剣士と鬼たちは全員がある意味での「病者」である。そして、他の登場人物たちはほとんど全員が「医療者」あるいは「回復の支援者」である。だから、極言すれば物語は「戦場」と「病院」だけで展開するのである。戦いで傷つき、限界まで疲れ切った剣士たちが、お互いに心を通わせ、認め合い、許し合うのは、病床でベッドを並べている「治療中」の時間においてなのである。

このマンガの卓越した点は「健常」と「疾病」をデジタルな二項対立としてはとらえず、その「あわい」こそが人間の生きる場であるという透徹した見識にあったと私は思う。この世には100％の健常者も100％の病者もいない。一人一人が何らかの欠損や過剰を抱えており、それぞれの仕方で傷つき、それぞれの「スティグマ」を刻印されている。『鬼滅の刃』の手柄はその事実をありのままに受け入れ、病者たちに寄り添い、時には癒し、時には「成仏」させる炭治郎という豊かな包容力を持つ主人公の造形に成功したことにあるのだと私は思う。

（「週刊金曜日」２０２０年12月25日〔No.１３１０〕合併号）

勇気について

先日若い人たちと話すことがあった。若いと言っても私より30歳くらい下だから中堅どころである。「今の日本人に一番足りないものは何でしょう」と訊かれた。少し考えて「勇気じゃないかな」と答えた。言ってから、たしかに私が子どもの頃にマンガや小説を通じて繰り返し「少年は勇気を持つべし」と刷り込まれてきたことを思い出した。『少年探偵団』の歌だって、「ぼくらは少年探偵団　勇気りんりん　るりの色」から始まる。１９５０年代の少年に求められた資質はまず勇気だった。

勇気というのは孤立を恐れないということだと思う。自分が「正しい」と思ったことは、周りが「違う」と言っても譲らない。自分が「やるべき」だと思ったことは、周りが「やめろ」と言ってもやめない。

戦中派の大人たちが私たち戦後生まれの子どもたちに向かって「まず勇気を持て」と教えたのは、彼ら自身の「自分には勇気が足りなかった」という深い慚愧《ざんき》の念があったからではないかとそのときに思い至った。

戦前戦中において、自分が「正しい」と思ったことを口に出せず、行動に移さず、不本意なまま大勢に流されて、ついには亡国の危機を招いたということへの痛苦な反省があったからこそ戦中派の人々はわれわれ戦後世代に「まず勇気を持て」と教えたのかも知れない。そんな気がした。だとすれば、この世代の子どもたちが長じて学生運動に身を投じたときに「連帯を求めて孤立を恐れず」というスローガンに情緒的な反応を示したのも当然である。

どうして「勇気を持て」という教えが後退したんでしょうと重ねて訊かれたので、これもその場の思いつきで『少年ジャンプ』のせいかなと答えた。『少年ジャンプ』が作家たちに求めた物語の基本は「友情・努力・勝利」である。

最初に「友情」が来る。私見によれば、友情と勇気は相性が悪い。友情というのは理解と共感に基づくものである。周りの友人たちに理解され、共感され、支援されることである。一方、「勇気」というのは、周りからの理解も共感も支援もないところから始めるために必要な資質である。「すべてはまず友情から始まる」という世界には「孤立を恐れない少年」の居場所がない。

『孟子』に「自ら省みて縮《なお》くんば千万人と雖《いえど》も吾往《ゆ》かん」という有名な言葉がある。この「吾」の周りには同盟者がまったくいないようであるから、彼がどれほど「努力」しても、「勝利」は期し難い。「友情」と「勝利」が優先的に求められる世界では、この「吾」はただの「空気の読めないやつ」である。

勇気が最優先の徳目であった時代に、それに続く徳目は「正直と親切」であった。「勇気・

正直・親切」と「友情・努力・勝利」はまるで違う。

正直と親切はパーソナルなものである。目の前にいる生身の人間に対して真率な気持ちを向ける、ただそれだけのことである。それは何かを達成するための手段ではないし、その成果について客観的評価が下るというものでもない。自分の気持ちが片づけばそれでいい。正直に語ったが「嘘つき」と呼ばれ、親切にしたが「不人情」と罵られたというようなことはよくある。人生、そんなものである。


でも、努力は違う。努力したかどうかは「勝利」したかどうかで事後的に、客観的かつ外形的に検証される。「友情に基づいて、努力したが、敗北した」では話の収まりがつかない。

なるほど、時代はそうやって遷移したのかと私は深く得心した。

スティーブ・ジョブズがスタンフォード大学の卒業式で式辞を読んだことがあった。そのときに彼は「最も重要なのはあなたの心と直感に従う勇気です」という感動的な言葉を語った。「心と直感はあなたがほんとうは何になりたいかをなぜか知っているからです」と話は続く。

ジョブズはたいせつなのは「心と直感に従うことです」とは言わなかった。「心と直感に従う勇気です」と言ったのである。勇気が要るのは子どもが「心と直感に従う」ことを周囲の大人が許さないからである。

ものごとを始めるときに、まず周囲の共感や理解を求めてはならない。ジョブズのこの見識に私は満腔《まんこう》の同意を贈る。

（2022年4月7日）

親切について

「親切な人」になろうと心がけている。それが社会人として最もたいせつな資質だと思うからである。長く生きてきて、それは深い確信として内面化している。

でも、私は生来親切な人ではなかった。若い頃は、一度として周りの人間から「内田君は親切だね」と言われたことがない。それも当然で、私は久しく「親切」というのは「背が高い」とか「視力がいい」とかいうのと同じような生得的資質だと思っていたからである。たしかに「親切な人」が傍らにいると周りの人にはいいことがある。席を譲ってくれたり、ご飯を分けたりしてくれる。でも、それは親切な人ご自身には特段の利得をもたらさない。親切な人はただ与えるだけで、何も得ない。だから、親切でない人間が無理してまで親切な人間になろうとすることにインセンティブはない。私はそう考えていた。

考えが変わったのは、ずいぶん年を取って、齢知命を過ぎた頃である。こんな文章を読んだ。

「文学において、最も大事なものは、『心づくし』というものである。『心づくし』といっても君たちにはわからないかも知れぬ。しかし、『親切』といってしまえば、身もふたもない。

心趣《こころばえ》。心意気。心遣い。そう言っても、まだぴったりしない。つまり、『心づくし』なのである。作者のその『心づくし』が読者に通じたとき、文学の永遠性とか、あるいは文学のありがたさとか、うれしさとか、そういったようなものが始めて成立するのであると思う。」（太宰治『如是我聞』）

この文章を私は若い頃に読んでいたはずだけれど「文学にとって本質的なのは心づくしだ」という話が、二十歳の私に理解できるはずもなかった。でも、今はこの太宰の言葉はしみじみ身に浸みる。

この短い引用を読むだけでも、太宰が何かを「言い切る」ことを必死で避けようとしていることはわかる。「心づくし」というキーワードを思いついたのだが、それで止まらずに「親切」「心趣」「心意気」「心遣い」と次々と言い換えてゆく。だが、どれも「ぴったりしない」。仕方なく次は「文学の永遠性」を「文学のありがたさ」「うれしさ」「そういったようなもの」とまた言い換えてみるが、どれも「ぴったりしない」ので、この話題も途中でぶつりと終わる。

でも、この文章そのものが「心づくし」のみごとな実践例なのだと私は思う。それは言い切らないこと、決めつけないことである。

太宰は文学においては何かを言い切るということはしてはならないと考えていた。一応は言い切り、どこかで句点を打って文章を切らなければならないのだけれど、それでも「言い換え」や「言いよどみ」や「前言撤回」に開かれていなければならない。太宰はそう考えていた。

思えば、太宰の小説はどれもそうだった。何かを言ってから、すぐにそれを取り消す。『晩年』は「死のうと思っていた」から始まる。けれども、すぐに夏に着る麻の着物の反物をもらったので「夏まで生きていようと思った」と翻意する。『桜桃』は「子供より親が大事、と思いたい」で始まる。五・七・五になっているのは「真面目に聴くなよ」という著者からのメッセージである。

太宰はふざけているわけではない。必死なのである。正直でありたいと、誠実で、公正でありたいと思っている人間は気がつくとこういうふうな言葉づかいになる。これが「親切の骨法」だということに気がついた。あるいは創造とは親切の効果なのかも知れぬ。そう思ってから「親切な人」になろうと決めた。

まことに功利的な理由による転身だが、人に「親切ですね」と言われるようになった頃から、言葉がいくらでも湧き出すようになった。ただ、親切な人の話は必ずわかりにくいものになるのが難点だが。

（2022年9月1日）

学校教育についてあちこちで話してきた

夏休みになると、教員たちの研究集会が各地で開かれる。今年はこれまでに二つの大会に招かれて基調講演をした。一つは日本作文の会、一つは東北六県の教育研究集会である。教育関係の集会での講演がこの夏はまだあと二つある。もう年なので遠方への旅は身体的にはきついけれども、教育関係の講演依頼はできるだけ引き受けるようにしている。

お座敷が多いのは、たぶん私が現場の教員たちに「もっとがんばれ」と言わない数少ない人間だからだと思う。教師たちはもう十分にがんばっている。過労死ラインすれすれで働いているのに、それでもなお文科省や教委や保護者やメディアからは「努力が足りない」と批判され続けている。それでは教員のなり手が激減するのも当然である。

私は教員の方たちには「無駄な仕事はする必要がない。ほんとうに大切なことだけに全力を集中した方がいい」と言うことにしている。「ほんとうに大切なこと」とは、子どもたちを笑顔で学校に迎え入れ、ひとりひとりに「ここが君のいる場所だ」と保証して、「私は君がここにいることを願っている。だから、どうかここにいて欲しい」と伝えることである。子どもたちを歓待し、承認し、祝福することである。それができたら教師の仕事としてはもう満点だと私は思う。それ以外のことは、教科を教えることを含めて、会議やペーパーワークや評価や査定は、どれも副次的な業務に過ぎない。

教育の本質は自学自習である。子どもたちの中で「学び」への意欲が起動したら、正直言って、もう教師の仕事は半ば以上終わりなのである。後は「読みたい本がある」と言われたら手に入れ、「したいことがある」と言われたら準備し、「会いたい人がいる」と言われたらなんとか手を尽くして紹介する。それくらいである。

たいせつなのは子どもたちの中に「学びたい」という思いが発動したときに、それを見逃さないことである。いつ、どういうきっかけで「学びへの意欲」が発動するのか、それは予測できない。それでも、経験的にはいくつか効果的な方法が知られている。教師はそれを愚直に繰り返すだけである。

子どもたちのうちで「学びへの意欲」が発動するきっかけは予測不能である以上、「下手な鉄砲も数撃ちゃ当たる」方式がもっとも効率的だということである。「こうすれば必ず子どもたちの知的欲求が亢進する」というような魔術的な解は存在しない。「ある」という人が時々いるが、もしその人が「だから金を出せ（あるいは私を崇拝しろ）」と続けた場合には、決して信用してはいけない。子どもたちの個性がこれだけばらけている以上、単一の「オールマイティのカード」などあるはずがない。

私たちが教える側としてできるのは、できるだけ多様な教育理念を持ち、できるだけ多様な教育方法を駆使する、できるだけ多様なタイプの教員を子どもたちの前に並べて見せることだけである。どの教師が子どもたちに「フック」するのか分からない以上、これが一番「取りこぼし」のリスクが少ない。

それでも、どんな教師であれ、「子どもたちを歓待し、承認し、祝福する」ことが教師の本務だということについては譲らない。そんなことはしたくない、できないという人間は教壇に立つべきではない。

私が教員たちにするのはだいたいそんな話である。教師たちは別に有用な知識や技能を教えるためにいるのではない。会議をしたり、報告書を書いたりするためにいるわけではない。子どもたちの成熟を支援するためにいるのだ。その仕事を愚直に行えば、必ず報われる。

そう言うと多くの教師たちは深く頷いてくれる。

（2022年11月13日）

被査定マインドについて

合気道という武道を教えている。稽古を始めて半世紀、教えるようになってから30年経った。数百人の門人を育てて分かったことは、今の日本社会が「非武道的な人間」を量産するための仕組みだということである。

誤解している人が多いが、武道は勝敗強弱巧拙を競うものではない。ふつうの人は武道というのは、競技場にいて、ライバルと対峙し、勝敗を争ったり、技量を査定されるものだと思っている。たしかに、サッカーやボクシングやフィギュアスケートはそうである。でも、武道は本来はそういうものではない。というのは、「査定」されるというのは「後手に回る」ことだからである。「後手に回る」ということは武道的には「遅れる」ということであり、それは勝敗を競う以前に「すでに敗けている」ということである。

武道修業の目標は「場を主宰する」ことである。柳生宗矩の『兵法家伝書』には「座を見る　機を見る」という言い方があるけれど、要するに「いるべき時に、いるべき処にいて、なすべきことをなす」ことである。いつどこにいて何をするのかについて、あらかじめ誰かが「正解」を知っていて、それに沿うように生きるということではない。正解はない。自分にとって最も自然で、最も合理的で、最も必然性のある生き方を過たず生きるということであり、それを決めるのは私である。誰かが「お前の生き方はそれで正しい」と永代保証してくれるということはないし、逆に誰かに「お前の生き方は間違っている」と言われてもおいそれと従うわけにはゆかない。

武道的な生き方というのは、誰かが作問した難問に答えて、その適否について誰かに点数をつけられるということではない。だから、人が「正解」を求めている限り、つまりどこかに「作問者」がいて、その人が「採点」をするという前提に立つ限り、私たちは「後手に回り」続け、永遠に「場を主宰する」ことができない。

しかし、私たちの社会では、人々は決して場を主宰することができないように育てられる。生まれてからずっと子どもたちは相対的な優劣を競い、査定されることに慣らされている。学校では成績をつけられ、部活では勝敗を競わされ、会社では勤務考課される。ずっとそうやって育ってきた。だから、問題に答えて、採点されて、その点数に基づいて資源の傾斜配分に与るという生き方以外の生き方がこの世にあることを知らない。ほとんどの人は「査定に基づく配分」を地球誕生以来の自然界のルールであるかのように信じ込んでいる。でも、それはある歴史的状況下で生まれ、ごく限られた条件下において運用されている「ローカルルール」に過ぎない。

合気道の稽古ではまずこの「被査定マインド」を解除することから始める。これがまことに難しい。発想の根本的な切り替えを要求するからである。

例えば、初心者は技をかけるときに、相手の反応をつい気にしてしまう。「僕の技、効いてますか?」と相手に訊ねる心地になってしまう。「5段階評価でいったら何点ぐらいですか?」と相手に気前よく「査定者」の立場を譲り渡して、相手の「採点」を待ってしまう。相手が「試験官」で自分が「受験生」であるという決定的に不利な立場を当然のように自ら進んで採用してしまう。それほどまでに彼らは「査定されること」に慣らされているのである。本当を言えば、「技がかかっているかどうか」なんてどうでもよいのである。

考えてみて欲しい。目の前にドアがあるときに「私の動線を塞いでいる敵がいる」と考える人間がいるだろうか? 壁の向こうにたどりつくためにどういう技を使えばいいか思案する人間がいるだろうか?

私たちはそんなことはしない。ただすたすた歩いてドアノブを回すだけである。

稽古のときもそれと同じである。「僕の技、ちゃんと効いていますか?」と相手の反応を窺う者は「ドアノブの回し方」の巧拙についてドアノブに向かって「今の回し方、何点ですか?」と訊いているようなものである。

要は壁の向こう側に行けばよいのである。庭に出て回り込んでもいいし、壁を破ってもいいし、「壁抜け」の秘術を使ってもよい。好きにすればいい。それが「先手をとる/場を主宰する」ということである。そう説明しても、なかなか分かってもらえない。

誰も君を査定しない。他の門人との相対的な強弱や巧拙を論《あげつら》うものはここにはいない。自分の身体が適切に機能しているかどうか判断できるのは君の身体だけである。訊くなら自分の身体に訊きなさい。

私はそう教えるのだが、そういうことをほとんどの入門者は生まれてから一度も言われたことがないのである。日本社会の病は深い。


（2022年7月7日）

自分の Voice をみつける

私の主宰する道場・凱風館では寺子屋ゼミというものを行っている。大学院の社会人ゼミの続きとして、毎週一回道場に座卓を並べてゼミを開いている。コロナ以後はオンラインでも受講できるようにしたが、先日の今季初日には珍しく40人近くが道場まで来てくれた。

ゼミ初日は毎期「このゼミは何のために開いているのか」を話す。言うことは毎年違う。今年は「自分のボイス」という話をした。

私がゼミ発表をしてもらうのは勉強してもらうことが主な目的ではない。高校生までの自由研究ならそれでいい。「こんなにたくさん本を読んだ。資料を調べた」という成果を示せば、教師はそれを評価してくれるだろう。でも、私のゼミはそれ以上のことを求めている。それは発表することを通じて「自分のボイス」を獲得してもらうことである。

「自分のボイス」というのは聞き慣れない言葉だと思う。「自分のボイス」とは私たちが自分固有の思考や感情を語ることができる「声」のことである。その声で語ると、自分の中の深いところにぼんやりわだかまっていて、いまだ輪郭定かならぬ星雲状態にある思考や感情をそのまま加工せずに表出することができる、そんな声のことである。

「自分のボイス」を手に入れると、私たちは言葉を操るときに「自在を得る」ことができる。

「自在を得る」というのは決して「立て板に水を流すように話す」という意味ではない。まったく逆である。「自分のボイス」は輪郭定かならぬアイディアを語れる声のことであるのだから、「自分のボイス」を得た人は小さな声で話すことができる。言いよどむことができる。口ごもることができる。前言撤回することができる。

そんな言葉が他人に伝わるだろうかと不安になる人もいると思う。でも、心配するには及ばない。ちゃんと伝わる。

そういう言葉は頭に入るというよりは身体にしみ込む。断片的なまま、一義的でないままに、聴いた人の身体のどこかに残る。そして、長い時間をかけて消化吸収され、その人の身体の一部分になる。そして、ある日何かの折に、ふとその人の口を衝いて、「自分が言いたかったこと」として再生されるのである。

分かりにくい話で申し訳ないが、ある人が「自分のボイス」で語った言葉は、長い時間が経過した後に、それを聴いた人がある日「自分の言葉」として出力したときにその人の語彙に登録される……という仕方で「伝わる」のである。山の上に降った雨が、長い時間をかけて、岩石に濾過されて、泉水となって湧き出すようなものである。

ややこしい話で済まないが、そうなのである。

私はそういう声をゼミ生ひとりひとりが手に入れて欲しいと思っている。それがゼミを主宰している理由の一つである。

でも、「自分のボイス」を持つことを今の日本社会はまったく勧奨していない。自分のオリジナルな言葉づかいを獲得することのたいせつさを誰も教えない。家庭でも、学校でも、職場でも、「自分のボイス」で語ることを誰も支援してくれない。逆につねに「大きな声で、はっきりと語る」ことが求められる。これは「自分のボイス」で語るためにはまったく不向きな条件である。「大きな声で、はっきり語る」ことができるのは定型句だけである。誰かから聴いて、そのまま「パッケージ」で記憶された定型句だけである。

誰かから聴いた定型句は、自分の中に起源を持たないという点では、誰かが「自分のボイス」で語って、胸にしみ込んだ言葉と似ている。外形的にはとてもよく似ている。

事実、出来合いの定型句でも、繰り返し語っているうちに身体化する。他人に吹き込まれた定型句を「自分の内心から湧き出した、自分がほんとうに言いたいこと」だと信じ込んでしまうのである。感情的になって、涙ながらに、絶叫するように「定型句を語る人」というのがいる。本人は心の底から湧き出してきた個人的で、独創的な思念や感情を語っているつもりなのだけれど、既製品を再生しているだけなのだ。

自分のボイスで語る言葉は、小さな声で、静かに、つっかえながら、言い淀みながら、絶句しながら語られる。そのような言葉だけが聴くに値する。

だから、私のゼミでは「大きな声で、はっきり、わかりやすく」語ることは求められない。

今年はそんな話をした。

（2022年4月7日）

「今、私たちが学ぶべきこと」

いきなり「ちゃぶ台返し」をするのも申し訳ないのだけれど、「今、私たちが学ぶべきこと」という（依頼されたテーマの）問いの立て方が「ちょっと違う」ような気がしたので、それについて書くことにする。たぶん、すごくわかりにくい話になると思うので、覚悟して読んで頂きたい。

「学ぶ」というのは一言で言えば「別人になること」である。だから「私は学ぶ」という文型を私はどうもうまく呑み込むことができないのである。それは「学び」がほんとうに起動した場合には、「私」という主語はもう同一性を持ちこたえることができないはずだからである。

「呉下《ごか》の阿蒙《あもう》」という話がある。三国時代の呉の国に呂蒙《りよもう》という将軍がいた。勇猛な武人であったが、惜しいかな学問がない。主君の孫権が「将軍に学問があれば」と嘆じたのに発奮して、呂蒙はそれから学問に励んだ。しばらくしてのちに同僚の魯粛《ろしゆく》が久しぶりに呂蒙に会ってみると、その学問の深さ見識の広さはかつての彼とは別人であった。魯粛は「君はとてもかつて『呉下の阿蒙』と呼ばれていた人とは思えない」と驚嘆した。これに対して呂蒙は

「士別れて三日、すなわちさらに刮目《かつもく》して相待すべし」と答えた。士たるものは三日会わないでいると別人になっているぞ、と。

　私が子どもの頃には時々この話をする年長者がいたが、ある時期からいなくなった。単に漢籍の知識を重んずる風が失われたということではなく、人間が知的に成長するというのは「別人になること」だという知見そのものが失われたためだと思う。

　知的成長ということを現代人はたぶん「知識の量的増大」というふうに考えている。人間としては何も変わっていないのだが、脳内の情報ストックが増えている状態を「成長」と呼び習わしている。だから、何日経って会おうともとりわけ「刮目する」必要はない。「入れ物（コンテナ）」は同一で、「中身（コンテンツ）」が増加しているだけだからだ。

　でも、それは「学び」とは違う。学びというのは「入れ物」自体が変わることだからである。「刮目」してまみえないと同一性が確信できないほどに人間が変わることだからである。学びが深まれば、話す内容が変わるにとどまらず、表情も、声も、挙措も、着付けも、すべてが変わる。

　呂蒙将軍は学びを深めたあともおそらく以前と変わらぬ卓越した武人であっただろう。けれども、その戦い方は歴史的知見に裏づけられ、人間性についての洞察に満ちたものに変わっていたはずである。単に武勇に学識が算術的に加算されたのではない。武勇のあり方そのものが変わったのである。戦術は奥行きと厚みを増し、用兵は縦横無尽のものとなり、ただ一言で兵たちの人心を掌握するカリスマ性を身に付けた。そうでなければ「刮目する」には値しない。だが、今、「学び」という語に、私たちはそこまでの全面的な人間の刷新を期待していない。

与えられた「今、私たちが学ぶべきこと」という問いには、「学びの主体が別人となることが学びである」という複雑な仕掛けを前にしたときの当惑が（申し訳ないが）感じられなかった。それで「ちゃぶ台返し」から話を始めることになったのである。意地悪をしているわけではないので、ご海容願いたい。

「私たち」に知的に「欠けているもの」がある。それを充塡《じゆうてん》したい。ついてはそのリストを作りたいということが「今、私たちが学ぶべきこと」という論題の趣旨であるなら、私はそのような営みを「学び」と呼ぶことができない。それはむしろ「補充（supply）」と呼ぶべきだろう。「補充」なら「入れ物」は同一性を保ちながら、「中身」だけが増えてゆくありようを正しく伝えられる。

教育の目的が「学び」から「補充」になったのはいつからだろう。1970年代くらいからだろうか。私が子どもの頃は「学ぶプロセスで子どもたちは別人になる」という考え方の方がむしろ常識であった。それはおそらく久しく日本の基幹産業が農業であり、教育もまた農業の比喩でとらえられていたからだと思う。

子どもたちは種子である。土に蒔《ま》かれ、水や肥料を与えられ、陽光を浴びて育つ。台風や病虫害のせいで、枯れてしまうこともあるが、さいわい生き延びることができたものは秋には「実り」として感謝の声を以て迎えられる。そういう植物的な比喩に即して久しく教育は語られてきた。種子が熟果になること、「別人になること」が教育の目的であることに違和を感じる人はいなかった。

だが、基幹産業が農業から工業に遷移するにつれて、教育を語る言葉もまた工学的なものに変わった。人々は自分が見慣れたシステムに即して現実を記述するものなのだ。

子どもたちは工場で製造される工業製品のようなものだと見なされるようになった。集められた原材料が工程表に従って加工され、そこにいろいろな部品を付け加えられ、ベルトコンベアの終点では仕様書通りの製品が納期までに、注文個数だけ揃う。それが教育というものだと人々は信じるようになった。

なるほど基幹産業の遷移《せんい》は教育にダイレクトに反映するのだな、ということを実感したのは90年代に「シラバス」というものが大学に導入されたときである。シラバスには「この授業の履修終了時点で学生はどのような知識や技能が身についているか」が明記される。その目的を達成するために第何週に教師は何を教え、学生たちは何を習得するのかを逐一書かなければならない。その週にシラバスに書いていることを教えなかったら、あるいはシラバスに書いていないことを教えたら、それは「工程管理上のミス」であってペナルティの対象になると言われた。

ふざけたことを言うな、と私は激怒した。それは私がさしたる計画もなしに教壇に立ち、そのときに思いついたことをべらべら話すという授業をしていたせいである。

でも、仕方がないのである。私が教壇に立ち始めた頃、こちらが周到に講義ノートを準備して万全を期して教場に臨むと、なぜか学生たちは次々と眠ってしまう。どれほど理路整然としたノートでも、むしろ準備が十全であるほど学生たちの集中力は落ちる。どうしたらよいのか。

あるとき、その日の朝、西宮北口駅ホームで見聞きした奇妙な出来事について学生たちに「ねえねえ、こんなことがあったんだよ」と話をした。内容は忘れたが、とりあえず誰かに話したかったのである。すると、ふだんは教室の後ろの方にたむろして、私が教室に入った時点ですでに「寝の態勢」に入っている学生たちががばっと顔を上げて、私の話に聞き入ってくれた。

なるほどと思った。学生たちは「既成のセンテンスの再生」ではなく、「今ここで、即興で行われるライブ演奏」が聴きたかったのである。たしかに授業なんだから聴いてもらわなければ話にならない。だったら、準備はそこそこにしておいても、その場でいま思いついた「鮮度の高い話」で引っ張った方が学生たちの集中力は高まり、教育効果も上がる。そうわかってから後はずっとそういう授業だけをしてきた。

だから、学生たちによる授業評価アンケートでは、「シラバス通りの授業をしているか」という質問項目の得点はつねに最低だったが、「他の学生にこの科目の履修を勧めるか」ではいつも最高点だった。工程管理の徹底と学生の授業満足度の間には統計的な相関はないということである。

だが、それ以上に激しい怒りを覚えたのは、シラバスは教師と学生の間の教育商品の取引についての「契約書」のようなものだと説明されたときである。教育を商取引の比喩で語ることは最大の禁忌である。そのような基礎的事実さえ知らない人間たちが教育の制度設計をし、教育政策を起案しているのかと思って、絶望的な気分になった。

考えてみればわかる。商取引においては、消費者は自分の前に置かれた商品については、その価値や有用性や費用対効果を熟知しているということになっている。たとえ知らなくても、「知ったような顔」をすることになっている。店員の袖をとらえて、商品について「何も知らないのです。ぜひ教えてください」と叩頭《こうとう》する消費者はいないし、説明を受けた後に「ありがとうございます」と一揖する消費者もいない。みんな「そんなことはとっくに知っているよ」という顔をする（知らなくても、そういう顔をする）。バザールでの売り買いと同じで、「商品に対して欲望を抱いていない」と思わせることが売り手を譲歩させて、値引きのために有効だと思っているからである。

教育が商取引なら、商品は「履修単位」、貨幣は「学習努力」に相当する。だとすれば、学生＝消費者は「最低の学習努力で単位を履修すること」を義務づけられる。最低の代価で商品を買うことは、消費者の権利というよりはむしろ義務だからだ。そうしないと需給バランスに基づく適正な価格形成は行われず、市場経済は成り立たなくなる。だから、授業に際しても、もし学生たちが賢い消費者としてふるまうなら、これから教えられることに対してできるだけ欲望を抱いていないように見せることを義務づけられるのである。

こういった舞台装置が「学び」にとって有害無益であることは誰にでもわかるはずである。でも、ある時期から教育を商取引のタームで語ることがふつうになった。保護者や学生は「クライアント」であり、大学は「店舗」であり、「市場のニーズに応えて」、「消費者に選好される教育プログラムを展開すること」が学校の仕事だと真顔で言う人たちが学内外を埋め尽くすようになった。そのようにして日本の学校教育が壊滅的なことになったのはご案内の通りである。

教育を商取引のスキームで語ることの最大の問題は、「消費者は変化しない」ということである。消費者は経済活動を通じて決して別人になることがない。スーパーマーケットに入ってゆく買い物客は入ったときと出てゆくときで同一人物である。買い物かごの中の商品は増えているけれども、買い物をした人間は（財布が軽くなった以外）まったく変化していない。変化しないというより、変化することを禁じられているのだ。買い物をする前に感じていた「欠如（want）」が、商品購入によって「補塡（supply）」されただけである。スーパーの中で何時間過ごそうと、何日過ごそうと、何年過ごそうと、消費者は決して別人になることはない。なってはならない。入店時点の「欠如」が商品購入によって「補塡」されたという以上の変化はあってはならない。買い物かごに商品を一つ放り込むごとに買い物客の表情が変わり、声が変わり、物腰が変わり、語彙が変わり、価値観が変わり、欲望の布置が変わり……ということは絶対に起きない。起きてはならない。だから学びを「商取引の比喩」で語ってはならないのである。

私たちはこの世にそのような学的領域が存在するということさえ知らなかった学問を「図らずも」学んでしまうという仕方で学ぶ。少なくとも呂蒙においてはそうだった。主君孫権に「将軍に学問があればなあ」と言われたとき、呂蒙は学問が何であるか、それにいかなる有用性があるのかを知らなかった（知っていれば言われる前に学び始めていただろう）。だが、孫権のその一言を奇貨として、呂蒙は学び始め、別人になった。

もう一度繰り返すが、学びというのは、学んだ後に学ぶ前とは別人になっていることである。学び始める前には自分が何を学ぶことになるのか分かっていなかったことが、学び終えたあとに回顧的に「わかるようになる」というのが学びの力動性、開放性、豊饒性なのである。

だから、「今、私たちが学ぶべきこと」があるとしたら、それは世の中には「学びというものがある」という原事実それだけなのである。

私自身は武道や能楽など、いくつかの芸事を「学んで」きた。学び始めて合気道は半世紀、能楽は四半世紀に及ぶ。学び始めた時点で、私は自分がこれから何を学ぶことになるのかほとんど何もわかっていなかった。自分がそれからあと会得することになる技術を呼ぶ名詞を知らなかったし、その後に操作できるようになる身体部位を感知したことがなかった。「気海丹田に気を集める」ことも「胸を落とす」ことも「手の内を替える」ことも、ある日そういうことができるようになっている自分を発見するのである。「そういうこと」ができるようになりたいという「欠如」が先行して、それを「補塡」したのではない。この世にそのような身体部位があることも知らず、それを操作する技術があることも知らないにもかかわらず、稽古を積んでいるうちに、ある日できるようになっているのである。

もちろん稽古にはきちんとした教育体系がある。それは「先達についてゆく」ということである。ただし、どこに行くのか、どういう経路をたどるのか、いつ何が身につくのか、何も情報が事前には与えられない。ただ「先達」の背中を見ながら歩き続けるだけである。自分が踏破すべき行程のどこにいるのか、目的地に到達するまでにどれだけの歳月を要するのか、何もわからない。自分が修行していることの意味を叙する語彙も、その価値を考量するものさしも自分にはない。そこから「学び」は始まる。でも、それが武道や宗教や芸能における「修行」なのである。

私が知る限り、西欧の言語には「修行」に類する単語が存在しない。長くアメリカで坐禅の指導をしてきた曹洞宗の禅僧藤田一照師に以前「『修行』に相当する単語が英語にはありますか?」と訊いたことがある。「ない」というのが藤田師のお答えであった。training も exercise も practice も違う。どの語も、それを修することで「何を」達成するのか、その目標が事前に開示されているからである。「修行」は違う。踏破すべき全行程を一望俯瞰する「神の視点」に想像的に立って、そこから自分の今・ここを語ることは修行者には決して許されない。

私は武道と能楽の他にも禊祓《みそぎはら》いや滝行などの「修行」をしてきた。そして、その経験を通じてこれが教育システムとして非常に優れたものであるということを深く確信している。この世に存在することさえ知らなかった学知や技能を習得できるという開放性・豊饒性のうちに「学び」の神髄はあると私は確信している。けれども、日本の教育者で私のこの考えに同意してくれる人は非常に少ないと思う。教育政策を提言する政治家や政策を起案する官僚の中にはたぶん一人もいないだろう。それでも、私はこれからも同じことを言い続ける。

(「學鐙」2023年夏号)

無作法と批評性

毎日新聞の社説に、ある政党の所属議員たちの相次ぐ不祥事について猛省を求める論説が掲載された。新聞が一政党を名指しして、もっと「常識的に」ふるまうように苦言を呈するというのはかなり例外的なことである。

ルッキズム的発言や経歴詐称の疑いなど、いくつか同党の議員の不祥事が列挙してあった。しかし、この苦言が功を奏して、以後この政党の所属議員が「礼儀正しく」なると思っている人は読者のうちにもたぶん一人もいないと思う。この政党の所属議員たちはこの社会で「良識的」とみなされているふるまいにあえて違背することによってこれまで高いポピュラリティを獲得し、選挙に勝ち続けてきたからである。「無作法である方が、礼儀正しくふるまうより政治的には成功するチャンスが高い」という事実を成功体験として内面化した人たちに今さらマナーを変更する理由はない。

「無作法であること」がそうでないよりも多くの利益をもたらすという経験則はこの政党に限らず、今や日本社会全体に瀰漫《びまん》しているように私には見える。現代の日本では「無作法であること」はどうやら鋭い批評性の表現と見なされているらしい。

SNSで見ず知らずの人間に向かって、いきなり「お前」と切り出して、罵倒の言葉を浴びせてくる人がいる。この人たちはまず人を怒鳴りつけるところから話を始める。おそらく彼らは次のような推論を行っているのだと思う。

「私は今すごく怒っている。ふつう人間は『よほどのこと』がない限りこれほどは怒らない。それゆえ、私が怒っているということは、私の怒りには十分な合理的根拠があるということを意味している。」

平たく言えば、「私が怒っているのは私が正しいからだ」ということである。

私が大学の教務部長をしていたときに、学生の親からいきなり「謝れ」という電話がかかってきたことがあった。「何について謝るのでしょうか？」と訊ねたのだが、教えてくれない。「保護者がこれだけ怒っているのは、大学に非があるからに決まっているだろう。いいからまず謝れ。話はそれからだ」と言い張るのである。うんざりして電話を切ってしまった。

おそらくこの男性は「こういうやり方」でこれまで難しい交渉ごとを切り抜けてきたという成功体験があったのだろう。

そういう人たちを周りによく見かけるようになった。銀行の窓口でも、コンビニのレジでも、信じられないほど無作法な口のききかたをする人たちに日常的に出会う。「正しい要求をしているとき、人間には無作法にふるまう権利がある」という考え方にはたしかに一理ある。けれども、その逆の「無作法にふるまっている人間は正しいからそうしているのである」

という推論は間違っている。
ほとんどの場合、過剰に無作法にふるまっている人間は自分の言い分が論理的には破綻を抱え込んでいることを実は知っている。だから、それを見抜かれぬために、相手に考える時間を与えないように怒声を張り上げるのである。

若い人たちに申し上げたいのは、「無作法」と「批評性」を混同しないで欲しいということである。難しい要求であることはわかっている。私自身若い頃はこの二つを混同していた。「寸鉄人を刺す」とか「快刀乱麻を断つ」というような一刀両断的な評言をする人たちは絶対的な確信を持っているからそういう無作法な態度をとっているのだと思っていた。でも、長く生きているうちに、無作法の強度と言明の真理性の間には相関がないということがわかった。

若い人たちに知って欲しいのは「批評的でありながらも礼儀正しい語り口」というものがこの世には存在するということである。そういう文章を探し出して、できればそういう「語り口」を身に着けて欲しいと思う。もちろん、それが困難な事業であることはわかっている。でも、若い人たちはそれくらいの野心的な目標を自分に課してもよいと思う。まだ自己陶冶のための時間は十分に残されているのだから。

批評的でありながら礼儀正しい文体というのがどういうものか知りたい人にはアナトール・フランスの『エピクロスの園』とクロード・レヴィ゠ストロースの『悲しき熱帯』をご推奨したい。何が書かれているかを理解するよりも先に、彼らの息の長い文体そのものを味わって欲しい。複雑なことを言うためにはそれなりの知的肺活量が必要だということがわかるはずだ。それがわかるだけでも読む甲斐がある。

長いものはちょっと読む暇がないという方にはレイモンド・チャンドラーが造形した名探偵フィリップ・マーロウの有名な台詞をお送りしたい。

「非情でなければ私は今日まで生きてこれなかっただろう。けれども、礼儀正しくあることができないのなら、私は生きるに値しない。」(If I wasn't hard, I wouldn't be alive. If I couldn't ever be gentle, I wouldn't deserve to be alive.)

「礼儀正しくあることができないなら、人間として生きるに値しない」というのはずいぶん厳しい言葉である。けれども、今の日本人が真剣に傾聴すべきものだと私は思う。

(「山形新聞」2022年6月7日)

旧悪は露見するか？

ある週刊誌から「旧悪の露見」についてコメントが欲しいという電話があったのは2週間ほど前である。五輪開会式にかかわったクリエーターの二人が、民族差別といじめについての「過去の言動」を掘り返されて職を解かれたことについて、「こんなふうに簡単に昔のことを掘り出して炎上させることができる時代になると、誰でもがプライバシーを侵害されるリスクがあるのではないでしょうか」という論調でコメントを取りに来たのである。

私は「その作業は決して簡単ではない」ということをまず申し上げた。

例えば、私の過去の書き物のうちから何であれ「差別的」な発言を取り出して、「炎上」させることは理論的には可能である。ただその場合に、その人は私のとりあえず手に入る限りの私の著作を通読し、かつ過去十数年分のブログ記事すべてを読まなければならない。たぶんすべてを探せば「差別的な発言と解釈できなくもない」文言は見つかるとは思う。だが、私の書き物からそれを探し出すのは「干し草の山から針を探す」作業に近い。おそらく数週間にわたり、朝から晩まで私の書き物を読み続ける（場合によって、その挙句「何も見つからなかった」ということもあり得る）という地獄のようなタスクをこなさなければならない。

どれほどの苦役であろう。

だから、「ネットで検索すれば簡単に旧悪がばれる」という記者の設定そのものに私は同意しない。「ネットで検索すれば簡単に旧悪がばれる」人がいたとしたら、それはその人にとって「旧悪」ではなく、頻繁に更新され、上書きされてきた「新悪」だからである。今もなお「いかにもそういうことを言いそうな人間」だから、過去のテクストをサルベージしたら「すぐ」にお目当てのものが出てくるのである。

20年前に「言わない方がいいこと」を言ってしまい、それを消去する手立てがないという場合には、それから後「そういうことを言いそうもない人」たるべく自己陶冶するはずである。

ジャン・バルジャンは起業して成功し、人望篤い市長になっていた。彼の旧悪が明らかになったのは彼が無実の罪を着せられた人を救おうとしたためである。ふつう、心を入れ替えて「よい人」になろうと思って日々努力している人の身には「旧悪が露見する」ということは起こらない。ジャン・バルジャンの身の上を人々が気の毒に思うのは、「そういうこと」はめったに起こらないからである。

だから「ネット時代になれば、誰でも過去の失言を咎められるリスクがある」というのは事実ではない。仮に過去に恥ずべき失言をなしたことがあったとしても、その後反省して、「そういうことを言いそうもない人」になるべく努力を重ねていれば、その人について「恥ずべき過去があるに違いない。いくら時間がかかっても構わない。徹底的に調べてやろう」という人は出てこない。

ネットというテクノロジーを駆使するのは生身の人間である。生身の人間においてある人物の「旧悪」を探す意欲が激しく亢進することがなければ、仮に恥ずべき過去があったとしても、それはいずれ忘れられる。それでいいと私は思う。

というコメントをしたのだが、企画自体が没になったので、コメントは採用されませんでしたという電話がさきほどあった。

せっかくしゃべったことなので、備忘のために書き残しておく。

（２０２１年8月31日）

共産党と市民的成熟

『希望の共産党』というアンソロジーに寄稿を頼まれたので、つねづね申し上げている所論を記した。日本共産党は日本の政治史の文脈の中に置いてみるより、「世界共産党史」の文脈のうちで見る方が、その特質をよく理解できるのではないかという私見を述べた。

日本共産党に私は「市民的成熟」を期待している。そして、それは葛藤のうちに身を持することによって達成される。共産党が「葛藤に苦しむ政治組織」であることを私は望んでいる。そのような政治組織が今の日本には存在しないからである。

自民党は思想的にはほとんど無内容な政党だが（だから、統一教会の綱領や日本会議の綱領を丸呑みしても体を壊さない）、「政権にしがみつくためには何でもやる」という点では全党員がみごとに一致している。公明党は一枚岩のつるりとした政党で、内部での権力闘争はあるだろうが、思想的葛藤はまったくない。立憲民主党以下の野党は党員たちが過去20年間いつどの党籍であったのかの「系譜図」をたぶん政治部の記者でさえ思い出せないくらいに離合集散を繰り返してきた。政治的意見が違うなら「党を割る」ということが心理的抵抗なしにできる人たちに葛藤はない。

その中にあって唯一の例外が綱領的立場にゆるぎない「この看板をおろすわけにはゆかな

い」政党で、かつ市民的成熟を求められているのが日本共産党であると私は考えている。その「希望」を彼らはどれくらいまっすぐに受け止めてくれるか。

『希望の共産党』に寄稿したのは、以下の文章である。


先日、済州島4・3事件の聴き取り調査のために来日していた真相調査団の金昌厚さんが私の主宰する学塾凱風館の「ハングル書堂」のゲストとして来館された。

ご存じの方も多いと思うが、4・3事件は1948年4月3日に、米軍の軍政下にあった済州島での島民の蜂起に対して、朝鮮国防警備隊、警察、反共テロリストたちが行った虐殺事件のことである。蜂起の中心にいたのは南朝鮮労働党だった。米軍と李承晩政府からは済州島全体が共産主義に親和的とみなされたために女性、幼児、高齢者を含む多くの市民が殺害された。

反共が国是であった戦後の韓国社会では、この事件について語ることは久しく禁忌とされていた。島民たち自身も口をつぐんだまま、記憶を封印してきた。ようやく87年の民主化以後、4・3事件の真相解明と犠牲者への謝罪が始まった。2000年に犠牲者のための名誉回復委員会が設置され、2006年に盧武鉉大統領が、島民に対して初めて公式謝罪を行った。以後、紆余曲折はありながら、4・3事件の真相究明と犠牲者への謝罪と補償は現在に至るまで続いている。

しかし、金さんが私たちに教えてくれたのは、「犠牲者」に認定されたのは「無辜《むこ》の市民」たちだけで、蜂起を主導した朝鮮共産党を前身とする南朝鮮労働党の活動家たちや、それに共鳴してゲリラ活動に加わった人たちは、軍や警察によって惨殺されたにもかかわらず「犠牲者」にはカウントされていないということであった。韓国では一度「共産主義者」というレッテルを貼られてしまった人たちはもう二度と「市民」とは認められないということである。

4・3事件を主導した南朝鮮労働党は壊滅的な弾圧の後に、1949年に北朝鮮労働党と合併して朝鮮労働党となった。金日成政権下の北朝鮮で「南労党派」として一大勢力をなしたが、のちにほぼ全員が粛清された。彼らは北でも「正規の市民」とは認められなかったのである。だから、この死者たちは、南にも北にも帰るべき祖国を持たず、供養する人もないままに、亡霊のように今も朝鮮半島の上に漂っているのである。

金さんが日本に来て一番驚いたのは、「日本共産党」というポスターを街中で見たときだったと教えてくれた。韓国ではまず「共産」という文字列を街中で見る機会はない。それは触れるだけで身を焦がすような「禁忌」だからだ。

「日本では共産党が国会に議席を持っているんですよね」と金さんは確かめるように言った。その口ぶりはほとんど「日本では幽霊が国会に議席を持っているんですよね」というようなニュアンスに近かった。

金さんの話を聴きながら、アジア諸国における共産主義者と共産主義政党のステイタスの違いについて考えた。

以前、日本共産党から「支持者の中にも党名変更を提案する人がいますが、ご意見をお聞かせください」と訊かれたことがあった。党名は変えるべきではないと私は回答した。この党名を維持していることによってはじめて「比較共産党史」という歴史研究分野が存立し得るからである。

ロシア革命に続いて世界各国に共産党を名乗る政治組織が生まれた。ドイツ共産党、フランス共産党、イギリス共産党、アメリカ共産党などなど。アジアではインドネシア共産党、中国共産党、日本共産党、朝鮮共産党が創設された。それから100年経った。世界の共産党がそれぞれどういうしかたで歴史的風雪に耐え、また変貌を遂げたかを知るのはとても興味深い政治的イシューだと思う。その推移を見るだけで、その国固有の政治風土が浮かび上がってくるからである。

ほとんどの人は知らないと思うが、1872年に第一インターナショナルの本部はロンドンからニューヨークに移り、アメリカ人フリードリヒ・ゾルゲが書記長に就任した。アメリカが世界の共産主義運動の拠点だった時期があるのだ。大戦間期にはアメリカ共産党が知識人層に強い影響力を及ぼしたが、今はもう見る影もない。ジョージ・オーウェルはスターリン主義を批判して『1984』を書いたのだが、そのときオーウェルが直接戦っていた相手はイギリス共産党だった。フランス共産党は対独レジスタンスの中核であり、ノルマンディー上陸作戦以後のドゴール将軍にとっては国内最強のライバルだった。でも、戦後スターリンに追随して国民的支持を失った。インドネシア共産党はアジア最初の共産党で、戦後は一大勢力だったけれど、1965年に軍の虐殺で消滅した。その一端は映画『アクト・オブ・キリング』で知ることができる。朝鮮共産党の悲惨な歴史は先ほど述べた通りである。

こうやって一瞥すると、世界の共産党の壊滅と変質の中にあって100年を生き延び、今も国会地方議会に議席を有しており、政策決定と世論形成に強い影響力を及ぼしている日本共産党がまことに例外的な存在であることが知れるはずである。なぜ、日本共産党は生き延び、今も日本の書店には「マルクス」についての大量の書籍が並んでいるのか。

前に中国の新華社から取材を受けたことがある。私と石川康宏さんの共著『若者よ、マルクスを読もう』が中国語に翻訳されて、多くの読者を得たことについてのインタビューだった。私たちの本は中国共産党の「幹部党員への必読図書」に指定された。なぜ、若者たちにマルクスの思想を嚙み砕いて解説した本を書いたのが中国共産党の知識人ではなく、日本人なのか。それが不思議だったのだろう。最初の問いは「なぜ資本主義社会の日本にはマルクス主義を愛読する人がこんなに多く存在しているのか、その原因は何か？」というものだった。その問いに私はこう答えた。

「日本では、マルクスは政治綱領としてよりはむしろ『教養書』として読まれてきたという側面があるからだと思う。つまり、マルクスのテクストの価値を『マルクス主義』を名乗るもろもろの政治運動の歴史的な功罪から考量するのではなく、マルクスの駆使する論理のスピード、修辞の鮮やかさ、分析の切れ味を玩味し、読書することの快楽を引き出す『非政治的な読み』が日本では許されていたということである。

だから、マルクスを読むことは日本において久しく『知的成熟の一階梯』だと信じられてきた。日本では、若者たちはマルクスを読んだからといってマルクス主義者になるわけではない。マルクスを読んだあと天皇主義者になった者も、敬虔な仏教徒になった者も、計算高いビジネスマンになった者もいる。それでも、青春の一時期にマルクスを読んだことは彼らにある種の人間的深みを与えた。少なくとも『与えた』と信じられていた。

政治的な読み方に限定したら、スターリン主義がもたらした災厄や国際共産主義運動の瓦解という歴史的事実から推して、『それらの運動の理論的根拠であった以上、マルクスはもう読むに値しない』という判断を下す人もいて当然である。だが、日本ではそういう理由でマルクスを読むことを止めたという人はほとんどいなかった。それはマルクスの非政治的な読みが許容されてきたからである。それが世界でも例外的に、日本では今もマルクスが読まれ続け、マルクス研究書が書かれ続けていることの理由の一つだろうと思う。」

日本における共産党の現実的な影響力についての質問にはこう答えた。

「日本共産党はマルクス主義政党だが、選挙で共産党に投票する人たちの多くはその綱領的立場に同調しているというよりは、党の議員たちが総じて倫理的に清潔であり、知性的であり、地域活動に熱心であるといった点を評価しているのだと思う。

日本では1920年代以後現代にいたるまで、マルクス主義を掲げる無数の政治組織が切れ目なく存続し、マルクス主義に基づく政治学や経済学や社会理論が研究され、講じられてきた。マルクス主義研究の深さと広がりという点では、日本は東アジアでは突出している。マルクス主義者でなくても日本人の多くはマルクス主義の用語や概念を熟知しており、そのスキームで政治経済の事象が語られることに慣れている。それがわれわれのものの考え方に影響を与えていないはずがない。」

このやり取りから知れると思うけれども、私は日本共産党が今日まで生き延び、存在感を示すことができた最大の理由は日本共産党が「共産主義の独占者」でなかったことにあると思っている。そういう考え方をする人が他にどれだけいるか分からないけれども、私はそう思っている。

貿易のビジネスでは「総代理人（sole agent）」というものがある。その業者を経由してしか輸入できない独占的な代理店のことである。多くの国で、共産党は「マルクス主義の総代理人」たらんとした。そして、マルクスの読解やマルクス主義の綱領の解釈について決定し、「異端」を審問する権利を占有しようとした。レーニンとスターリンが国際共産主義運動を領導していた時代には、その指示の唯一の「窓口」であろうとした。世界各国の共産党がその特権的地位を求め、それを手に入れたせいでやがて衰退し、滅亡していった。私の眼にはそう見える。

その中にあって日本共産党が生き延びることができたのは、「マルクス主義の総代理人」ではなかったからである。なろうとしても、なれなかった。それは上に書いたように、日本には共産党以外にもマルクス主義を掲げる多様な組織や運動体が存在し、共産党の公式解釈以外にもマルクスについて多様な解釈や理解が並立していたからである。

そのような環境の中に置かれていたおかげで、日本共産党は「自分たちのニッチ」を探し出し、市民に向かっておのれの政治的有用性を訴え、その支持を懇請するという仕事を余儀なくされた。「総代理人」の免状を手に入れ、その地位に安住してしまったよその国の共産党にとっては不要な仕事だ。でも、日本共産党はその「余計な仕事」を果たさなければならなかった。結果的にはそれがよかったのだと思う。それがこの政党にある種の「市民的成熟」をもたらしたからである。

金さんを驚かせたように、日本共産党が世界でもきわめて例外的な「国会に議席を持つ共産党」であり得るのは、日本共産党が「歴史を貫く鉄の法則性」によってその身元を永代保証された政党ではなく、そのつどの市民の支持のうちに足場を求めてきた政党だからであると私は思う。いわば、その「弱さ」が手柄だったのである。

これから日本共産党がどういう組織を編成し、どういう運動を創り出してゆくのか、それは党員たちが決めることであり、私の関知することではない。でも、100年生き延びてこられたのは日本共産党が「原理的正しさ」より「市民的成熟」を選んだせいであると私は考えている。だから、その歴史的経緯をただしく評価すれば、このあとの進むべき道もおのずと明らかになると私は思う。

私たちが成熟について知っている最もたいせつな経験則は「人は葛藤のうちで成熟する」ということである。それは組織についても同じだと思う。深い葛藤を抱えた組織は、そうでない組織よりも成熟するチャンスが多い。全党員が同じような顔つきをしていて、同じような言葉づかいで語り、指導者の命令に整然と従う一枚岩の政党を日本共産党は理想にしてはならない。そんな政党は短期的には効率よく稼働するかも知れないが、葛藤がない組織は成熟することができない。だから、いずれ環境の変化に適応できずに死滅するだろう。

私が日本共産党に求めるのは「葛藤を通じて成熟できる組織」であることである。別に私がよけいなことを言わなくても、すでに日本共産党の方たちはそのことを歴史的経験を通じて熟知しているはずである。

（『希望の共産党　期待こめた提案』所収、2023年）

アメリカにおける自由と統制

「自由論」をテーマにした集英社新書の論集に寄稿を依頼された。こんなことを書いた。

近代日本に輸入された「自由」

まずアメリカの話をしようと思う。自由を論じるときにどうしてアメリカの話をするのかと言うと、私たち日本人には「自由は取り扱いのむずかしいものだ」という実感が乏しいように思われるからである。私たちは独立戦争や市民革命を経由して市民的自由を獲得したという歴史的経験を持っていない。自由を求めて戦い、多くの犠牲を払って自由を手に入れ、そのあとに、自由がきわめて扱いにくいものであること、うっかりすると得た以上に多くのものを失うかも知れないことに気づいて慄然《りつぜん》とするという経験を私たちは集団的にはしたことがない。

「自由」は Freedom/Liberté/Freiheit の訳語として、パッケージ済みの概念として近代日本に輸入された。やまとことばのうちには「自由」に相当するものはない。ということは、自由は土着の観念ではないということである。

私たちはややもすると「自由というのはすばらしいものである」「全力を尽くして守らなければならないものである」ということを不可疑の前提にして、そこから議論を出発させる。けれども、そうすると、自由に制限を加えようとする政治的立場が理解できなくなる。自由を恐れるという発想が理解できなくなる。自由を制限しようとする者はただひたすらに「邪悪な権力者」にしか見えない。だから、市民が語る自由論は「どうやって権力者の干渉を排して、自由を奪還するか」という戦術論に居着いてしまう。私たちの社会で自由についての思索が深まらないのはこの固定的なスキームから出ることができないせいではないか。

自由の制限をめぐる問いと市民社会の成熟

J・S・ミルの『自由論』（1859年）はアメリカ合衆国建国の歴史的実験を間近に観察した上でなされた考察である。私たちがまず驚くのは、ミルの最初の主題が「社会が個人に対して当然行使してよい権力の性質と限界」だということである。どこまで市民的自由を制限することが許されるのか。ミルはそう問題を立てているのである。

私たちの国では、そういう問いから自由について語り始めるという習慣はない。私たちの国では、市民は「個人が行使できる自由の拡大」について語り、統治者は「政府が行使できる権力の拡大」について語る。話はまったく交差しない。

統治機構はどこまで市民的自由を制限できるのか、制限すべきなのか、それがミルの自由論の一つの論点である。こういう問いは市民革命を経験し、政府を倒し、統治機構を手作りした経験のある市民にしか立てることができない。

市民革命以前の人民にとって、支配者は「民衆とつねに利害が相反する」存在であった。だから、人民は支配者の権力の制限についてだけ考えていればよかった。しかし、民主制を市民が打ち立てた後、理論上は人民の代表が社会を支配することになった。支配者の利害と意志は、国民の意志と利害と一致するという話になった。政府の権力は「集中化され行使しやすい形にされた国民自身の権力にほかならないのだ」ということになった。

ところが、実際に市民革命を行って、民主制を実現してしまったら、話はそれほど簡単ではないことがわかった。「権力を行使する『民衆』は、権力を行使される民衆と必ずしも同一ではない」からである。

代議制民主制のふたを開いてみたら、そこで「民衆の意志」と呼ばれているものは「実際には、民衆の中でもっとも活動的な部分の意志、すなわち多数者あるいは自分たちを多数者として認めさせることに成功する人々の意志」だったからである。「民衆がその成員の一部を圧迫しようとすることがありうるのである。」

これは市民革命をした経験のある者にしか語れない知見だと思う。

支配者対人民という二項対立で話が済むうちは簡単だった。だが、近代民主制のアポリアはその先にあった。市民革命を通じて民主制を実現してみたら、予想もしていなかったことが起きた。最も活動的な民衆の一部がそれほど活動的でない他の民衆の自由を制約しようとし始めたのである。「民衆による民衆の支配」という予想していなかったことが起きた。

では、どのようにして民主制の名においてそのような事態を制御することができるのか？ 社会が個人に対して行使してよい権力の性質と限界はいかなるものか？

これが160年ほど前にミルによって定式化され、いまに至るまで決定的な解を見出すことができずにいる自由をめぐる最大の論件である。

繰り返すが、私たちの国では、そのような問いが優先的に気づかわれるまでに市民社会が成熟していない。現に、「多数者の専制」が「社会が警戒することが必要な害悪の一つ」であるという認識は日本国民の間では常識としては登録されていない。だから、「選挙に勝ったということは、民意の負託を受けたということだ」「選挙に勝って、禊《みそぎ》が済んだ」「選挙に勝ったということは、これまで行ってきた政策がすべて正しかったということだ」というような言葉を政治家たちが不用意に口にし、メディアがそのまま無批判に垂れ流すということが起きる。ミルはそういう考え方が民主制に致命傷を与えるということをつとに160年前に指摘していたのである。

ミルの書物は明治初年に日本に翻訳されて、ずいぶん広く読まれたはずである。しかし、読まれたということと血肉化したということはまったく別の話だ。私たちはトクヴィルやハミルトンやミルが生きた18〜19世紀の欧米市民社会よりもはるかに民主制の成熟度の低い社会に今も暮らしているのである。そのことをまず認めよう。

自由は端的に自由として、あたかも自然物のようにそこにあるわけではない。それは近代市民社会においては、「どの程度までなら制限してよいものか」という問いを通じて、欠性的にその輪郭を示してゆく。

市民的自由と社会的統制はどこかで衝突する。私的自由と公共の福祉はどこかで衝突する。自由と平等はどこかで衝突する。そのときに、どのあたりが適切な「落としどころ」になるかは原理的には決することができない。汎通的な「ものさし」は存在しない。「適度」なところを皮膚感覚や嗅覚で探り当てなければならない。そして、そういう精密な操作ができるためには、どうしても一度は自分の手で「なまものとしての自由」を取り扱ってみなければならない。そして、私たちにはその経験がない。

私が本稿で建国期のアメリカの事例を検討するのは、その時代のアメリカ人はまことに誠実に「統制と自由」の問題で悩んだと思うからである。ある問題に取り組むときに生産的な知見をもたらすのは、多くの場合、その問題を解決した（と思っている）人よりも、現にその問題で苦しんでいる人である。

「自由」と「連邦」のゼロサム関係

独立宣言（1776年）から合衆国憲法の制定（1787年）までには11年間のタイムラグがある。それは新しく創り出す国のかたちについての国民の合意形成が困難だったということを意味している。一方に連邦政府にできるだけ大きな権限を委ねようとする「中央集権派（フェデラリスト）」がおり、他方に単一政府の下に統轄されることを嫌い、州政府の独立性を重く見る「地方分権派」がいた（Stateを「州」と訳すことが適切なのかどうか私にはわからない。以下に引く『ザ・フェデラリスト』の訳文では「州」と「邦」が混用されている）。

中央政府に必要な権限を付与するために人民はみずからの自然権の一部を譲渡しなければならない。これはホッブズ、ロック以来の近代市民社会論の常識である。この原理に異を唱える市民は近代市民社会にはいないはずである。だから、問題は、どの機関に、どの程度の私権を譲渡するかなのである。ことは原理の問題ではなく、程度の問題なのである。原理の問題なら正否の決着がつくということがあるが、程度の問題に「最終的解決」はない。それは必ずオープン・クエスチョンとして残される。

アメリカ合衆国がその後世界最強国になったのは、彼らが統治の根本原理を採択するとき、統制か自由かのいずれを優先させるかをついに決しかねたことの手柄だと私は思っている。

人間は葛藤のうちに成熟する。国も同じである。解決のつかない、根源的難問を抱え込んでいる国は、単一の無矛盾的な統治原理に統制された社会よりも生き延びる力が強い。

『ザ・フェデラリスト』は合衆国憲法制定直前に、世論を連邦派に導くためにジョン・ジェイ、ジェイムズ・マディソン、アレグザンダー・ハミルトンの三人によって書かれた。直接の理由はジェイの記すところによれば、「一つの連邦の中にわれわれの安全と幸福を求めるかわりに、各邦をいくつかの連合に、あるいはいくつかの国家に分割することにこそ、われわれの安全と幸福とを求めるべきであると主張する政治屋たちが現われだした」からである。(「ザ・フェデラリスト」斎藤真訳、『世界の名著33』、中央公論社、1970年、317頁)

アメリカは一体でなければならない。「この国土を、非友好的で嫉視反目するいくつかの独立国に分割すべきではない」(同書、318頁)というのがフェデラリストたちの立場であった。

さて、連邦に統合されることに反対した人々が掲げたのが「自由」の原理だったのである。連邦政府に強大な権限を付与することは、州政府の自由を損ない、さらには市民の自由を損なうことだ、と。だから、まことにわかりにくい話になるが、このとき「自由」の対立概念は「連邦」だったのである。明らかなカテゴリーミステイクのように思われるが、「自由」と「連邦」はゼロサムの関係にあるという考え方がその時点ではリアリティを持っていたのである。そのことは次のジェイの文章から知れる。「同じ祖先より生まれ、同じ言葉を語り、同じ宗教を信じ、同じ政治原理を奉じ、（…）一体となって協議し、武装し、努力して、長期に及ぶ血なまぐさい戦争を肩を並べて戦い抜」（同書、318頁）いたアメリカ人は独立戦争のあと「13州連合（the Confederation）」を形成した。しかし、この政体は戦火の下で急ごしらえされたものであったので、「大きな欠陥」があった。

「自由を熱愛すると同様、また連邦《ユニオン》にも愛着をもちつづけていた彼らは、直接には連邦を、間接には自由を危殆ならしめるような危険性があることを認めたのである。そして、連邦と自由とを二つながら十分に保障するものとしては、もっと賢明に構成された全国的政府《ナショナル・ガヴァメント》しかないことを悟り（…）憲法会議を召集したのである。」（同書、318—9頁）

よく注意して読まないと読み飛ばしそうなところだが、ここでジェイは連邦と自由を両立させるのは簡単な仕事ではないということを認めているのである。自由だけを追求すれば、連邦は存立できない。連邦が存立できなければ、自由は失われる。だから、自由と連邦を「二つながら十分に保障する」工夫が必要なのだ。そのとき、連邦がなければ自由が危機に瀕することの論拠にジェイが選んだのは、「侵略者があったときに誰が戦争をするのか？」という仮定だった。

独立直後の合衆国は英国、スペイン、フランス、さらには国内のネイティヴ・アメリカンとの軍事的衝突のリスクを抱えていた。仮にある邦がこれらの国と戦闘状態に入ったときに、戦闘の主体は誰になるのか？　邦政府が軍事的独立を望むのなら、邦政府はとりあえずは単独で外敵に対処しなければならない。


「もし、一政府が攻撃された場合、他の政府はその救援に馳せ参じ、その防衛のためにみずからの血を流しみずからの金を投ずるであろうか？」（同書、３２９頁）

ずいぶんと生々しい話である。私たちは今のアメリカしか知らないから、例えばヴァージニア州が外国軍に攻撃されたときにコネチカット州が「隣邦の地位が低下するのをむしろよしとして」傍観するというような事態を想像することができない。あるいは「アメリカが三ないし四の独立した、おそらくは相互に対立する共和国ないし連合体に分裂し、一つはイギリスに、他はフランスに、第三のものはスペインに傾くということになり」（同書、３３０頁）、大陸で代理戦争が始まったらどうするというようなことを想像することができない。

しかし、ものごとを根源的に考えるというのは、その生成状態にまで立ち戻って考えるということである。今のようなアメリカになる前の、これから先何が起きるかまだ見通せないでいる時点に立ち戻って、そこで自由と連邦の歴史的意味を吟味しなければならない。外敵の侵略リスクを想定して、その場合に自由を守るためには、邦政府に軍事的フリーハンドを与えるべきか、それとも連邦政府に軍事を委ねるべきか、いずれが適切なのか。それがジェイの提示した問いであった。

連邦政府に軍事を委ねるというのは常備軍を置くということである。だが、地方分権派は常備軍というアイディアそのものにはげしいアレルギーを示した。世界最大の軍事力を持つ今のアメリカを知っている私たちにはにわかには信じにくいことだが、合衆国憲法をめぐる最大の論争は実は「常備軍を置くか、置かないか」をめぐるものだったのである。

地方分権派が常備軍にはげしいアレルギーを示したのは、常備軍は簡単に権力者の私兵となって市民に銃口を向けるという歴史的経験があったからである。これは独立戦争を戦った人々にとっては、恐怖と苦痛をともなって回想されるトラウマ的記憶であった。たしかに英国軍は国王の意を体して、植民地人民に銃を向けた。それに対して、自らの意志で銃を執って立ち上がった「武装した市民（ミリシア militia）」たちが最終的に独立戦争を勝利に導いた。だから、戦争をするのは職業軍人ではなく、武装した市民でなければならない。これはアメリカ建国の正統性と神話性を維持し続けるためには譲ることのできない要件だった。現に、独立宣言にははっきりとこう明記してあった。

「われわれは万人は平等に創造され、創造主によっていくつかの譲渡不能の権利、すなわち生命、自由、幸福追求の権利を付与されていることを自明の真理とみなす。（…）いかなる形態の政府であろうと、この目的を害するときには、これを改変あるいは廃絶し、新しい政府を創建することは人民の権利である（it is the Right of the People to alter or to abolish it, and to institute new Government）」

常備軍をめぐる原理的な対立

独立宣言は人民の武装権・抵抗権・革命権を認めている。独立戦争を正当化するためにはそれを認めることが論理的に必須だったからである。だから、独立戦争直後に制定されたペンシルヴェニアとノース・カロライナの邦憲法には「平時における常備軍は、自由にとって危険であるので、維持されるべきではない」と明記されている。ニュー・ハンプシャー、マサチューセッツ、デラウェア、メリーランドの邦憲法はいくぶん控えめに「常備軍は自由にとって危険であるので、議会の同意なしに募集され、あるいは維持されるべきではない」としている。

「常備軍は自由にとって危険である」というのは建国時のアメリカ市民の「気分」ではなく、「成文法」だったのである。そのことを忘れてはならない。

それに対して、フェデラリストたちは外敵の侵入リスクをより重く見た。ことは「国家存亡の危機」にかかわるのである。ハミルトンは「国防軍の建設、統帥、維持に必要ないっさいのことがらに関しては、制約があってはならない」（同書、346頁）と主張した。

強大な国防軍を創設すべきか、常備軍は最低限のもの、暫定的なものにとどめておくべきか。この原理的な対立は結局、憲法制定までには解決を見なかった。合衆国憲法は常備軍反対論に配慮して、常備軍の保持は憲法違反であると読めるような条項を持つことになったからである。連邦議会の権限を定めた憲法八条一二項にはこうある。

「連邦議会は陸軍を召集し、支援する権限を有する。ただし、このための歳出は2年を越えてはならない。」

常備軍はどの国でもふつう行政府に属する。しかし、合衆国憲法は陸軍の召集と維持を立法府に委ねた。さらに2年以上にわたって軍隊の維持費として継続的な支出をすることを禁じた。「これは、よくみると、明らかな必要性がないかぎり軍隊を維持することに反対する重要にして現実的な保障とも思われるべき配慮なのである」（同書、351頁）とハミルトンは八条一二項について書いている。

アメリカが常備軍を禁じた憲法を持っていることを知っている日本人は少ない。改憲派は、憲法第九条二項と自衛隊の「矛盾」を指摘して、「憲法と現実の間に齟齬があるときは、現実に合わせて改憲すべきである」と主張するが、彼らが常備軍規定について合衆国憲法と現実の間には深刻な齟齬があるので改憲すべきであると米国政府に献策したという話を私は寡聞にして知らない。私はむしろ憲法条項と現実の間に齟齬があることがアメリカの民主制に活力と豊饒性を吹き込んでいると理解している。アメリカ市民は憲法八条一二項を読むたびに、「建国者たちは何のためにこのような条項を書き入れたのか?」という建国時における統治理念の根源的な対立について思量することを余儀なくされるからである。正解のない問いにまっすぐ向き合うことは、教えられた単一の正解を暗誦してみせるよりは、市民の政治的成熟にとってはるかに有用である。

常備軍についての原理的対立は憲法修正第二条の武装権をめぐる対立において再演される。1791年、憲法制定の4年後に採択された憲法修正第二条にはこう書かれている。

「よく訓練されたミリシアは自由な邦の安全のために必要であるので、人民が武器を保持し携行する権利は侵されてはならない。」

修正第二条の文言を確定するときにどのような議論があったのかはつまびらかにしないが、

これが邦の手元に軍事力を残したい地方分権派と軍事力を連邦政府の統制下に置きたい中央集権派の妥協の産物であったことはわかる。というのも、憲法制定時点でフェデラリストたちが最も懸念していたのは、外敵の侵攻と並んで邦政府と連邦政府との軍事的対立だったからである。ハミルトンははっきりと「内戦」のリスクに言及している。

「各州政府が、権力欲にもとづいて、連邦政府と競争関係に立つことはきわめて当然の傾向であり、連邦政府と州政府とが何らかの形で争うとなると、人々は（…）州政府に必ず加担する傾向があると考えてしかるべきであることは、すでに述べた。各州政府が（…）独立の軍隊を所有することによって、その野心を増長せしめられることにでもなれば、その軍事力は、各州政府にとって、憲法の認める連邦の権威に対して、あえて挑戦し、ついにはこれをくつがえそうという、あまりにも強力な誘惑となり、あまりにも大きな便宜を与えるものになろう。」（同書、356頁）

ミリシアを邦が自己裁量で運用できる軍事力として手元にとどめたい地方分権派と、できるだけ軍事力を連邦政府で独占したいフェデラリストとのきびしい緊張関係の中で憲法は起草され、憲法修正が書き加えられた。原則として常備軍を持たないとしたこと、軍隊の召集・維持の権限を立法府に与えたこと、市民の武装権を認めたこと、これらは連邦派の側からすれば不本意な譲歩だっただろう。連邦派の抵抗の跡はかろうじて「よく訓練された（well regulated）」と「自由な邦の安全のため（the security of a free State）」という二重の条件に残されている。

ミリシアはのちにNational Guardに改称された。日本語では「州兵」と訳されるが、これは独立戦争の英雄だったラファイエット将軍が母国でフランス革命のときに率いたGarde Nationaleに敬意を表して改称されたのであって、原義は「国民警備兵」である。一方で武装した市民たち自身は今も「ミリシア」を名乗り続けている。２０２１年1月20日のバイデン大統領の就任式では、「武装したトランプ支持者」の乱入に備えて「州兵」２万５０００人が配備されたと日本のメディアは報じたけれど、彼らは「暴徒と兵士」でも「デモ隊と警官」でもなく、いずれも主観的には「ミリシア」だったのである。

アメリカの両義的な性格

アメリカの政治文化では、原理主義的な首尾一貫性よりも、そのつどの状況にすみやかに最適化する復元力（resilience）が高く評価される。鶏が先か卵が先かわからないが、この政治文化の形成に、アメリカが建国時点から二種の統治原理に引き裂かれていたという歴史的事実が与《あずか》っていると私は思う。

トランプ以後、アメリカの国民的分断を嘆く人が多いが、実際にはアメリカは建国時点から、統一国家なのか連邦なのか、どちらにも落ち着かない両義的性格を持ち続けてきた。その意味では二つの統治原理の間でつねに引き裂かれてきたのである。分断は今に始まった話ではない。

両院から成る立法府の構成も二つの原理の妥協の産物である。下院定員は人口比で決まるので、下院議員は「その権限をアメリカ国民から直接ひき出している」（同書、374頁）と言ってよいが、上院議員は各州2名が割り当てられているので、邦を代表している。日本人には理解しにくい大統領選挙人制度も、大統領を選挙するのはあくまで邦であって、国民ではないということを示している。アメリカは「統一国家的性格と同様に、多くの連邦的性格をもった一種の混合的な性格」（同書、374頁）を具えた国家なのである。

そこからアメリカにおける自由の特殊な含意が導かれる。絶対自由主義者は「リバタリアン（libertarian）」を名乗る。彼らは公権力が私権・私有財産に介入することを認めない。だから、徴兵に応じない（自分の命をどう使うかは自分が決める）、納税もしない（自分の資産をどう使うかは自分が決める）。ドナルド・トランプはリバタリアンだったので、五度にわたって徴兵を免れ、大統領選のときも連邦税を納めていないことを公言してはばからなかった。そういう人物が大統領になって、公権力のトップに君臨することができるのは、公権力が市民的自由に介入することへの強い拒否がアメリカの政治文化の一つの伝統だからである。

トランプ統治下のアメリカでCOVID-19の感染拡大が止まらず、世界最高レベルの医療技術を持った国であるにもかかわらず、感染者数でも死者数でも世界最多を記録したのは、医療についても、公権力の介入を嫌う人がそれだけ多かったからである。

『トランピストはマスクをしない』というのは町山智浩のアメリカ観察記のタイトルだが、このタイトルは疾病のリスクをどう評価し、どう予防し、どう治療するかという、本来なら科学的に決定されるはずのことがらが「自由か統制か」という政治理念の選択問題にずれこんでしまうアメリカの特異な風土を言い当てている。

感染症は、全住民が等しく良質な医療を受ける医療システムを構築しないかぎり終息させることができない。だが、そのためには公権力が患者の治療やワクチン接種といった医療サービスを無償で提供する必要がある。医療を商品と考え、金がある者は医療が受けられるが、金がない者は受けられないという市場原理を信じる人たちの眼には、これは医療資源を公権力が恣意的に再分配する社会主義的「統制」に映る。

自由と平等は実は両立させることがきわめて難しい政治理念なのである。私たちはフランス革命の標語に慣れ親しんでいるせいで、「自由・平等・博愛」がワンセットのものだと考えているけれど、それは違う。平等は、公権力が強力な介入を行って、富める者の私財の一部を奪い、力ある者の私権の一部を制限して、それを貧しい者、弱い者に再分配することなしには、絶対に成就しないからである。平等を実現しようとすれば、必ずある人たちの自由は損なわれる。それも、その集団において相対的に豊かで、力があって、より活動的な人たちの自由が損なわれる。ミルの論点を思い出そう。平等は「民衆の中でもっとも活動的な部分」の私権を制限し、私財を没収することによってしか実現されない。そして、この「活動的な部分」はミルによればまさに「自分たちを多数者として認めさせることに成功」したがゆえに「活動的」たりえた人々なのである。平等は「多数の市民」の自由を公権力が制約するという図式においてしか実現しない。そして、当然ながらそのことに「多数の市民」は反対するのである。

「最終的解決」はない葛藤

2021年現在、世界の最も富裕な8人の資産は、最も貧しい36億人が保有する資産と同額である。それくらいに富は偏在しているわけだけれども、その貧しい36億人のうちにおいてさえ、ジェフ・ベゾスやビル・ゲイツとともに自分は「多数者」の側にいると信じて、公権力が私権を統制し、私財を公共財に付け替えることに反対する人たちが大勢いる。それは富豪であるトランプの支持基盤が「ホワイト・トラッシュ」と呼ばれる白人貧困層であったことに通じている。彼らは平等よりも自由の方を重く見る政治的伝統を継承しているのである。

その「自由主義」思想は「独立宣言」に源流を持っている。「独立宣言」の先ほど引いた「抵抗権」を保障した箇所の前段にはこう書いてあるからだ。

「われわれは、以下の真理を自明のものと信じる。すなわち、すべての人間は平等なものとして創造され、その創造主によって、生命、自由、および幸福の追求を含む不可侵の権利を与えられている、と。(We hold these truths to be self-evident, that all men are created equal, that they are endowed by their Creator with certain unalienable Rights, that among these are Life, Liberty and the pursuit of Happiness)」

すべての人間は平等なものとして、創造主によって創造されたのである。ここでは、平等はすべての人間の初期条件であって、未来において達成すべきものとしては観念されていない。政府は生命、自由、幸福追求の権利を確保するために創建されたものであって、平等の実現は政府の仕事にはカウントされていない。平等はすでに創造主によって実現している。だから、政府が配慮すべきは人民の生命と自由と幸福追求に限定されるのである。

「すべての人間は平等なものとして創造されている」と宣言されてから奴隷制の廃絶が宣言

されるまでに87年かかり、公民権法が成立するまでにさらに101年かかり、それから半世紀以上経って、いまだにBlack Lives Matterが黒人に白人と平等の人権を求めなければならないのは、平等の実現はアメリカの建国時でのアジェンダに含まれていなかったからである。そして、その政治文化はいまも生き続けている。

長くなり過ぎたので、もう話を終える。市民的自由と社会的統制の間の葛藤に「最終的解決」はない。私たちに必要なのは「適度」を探り当てる経験知の蓄積である。自由を扱う技術の習得にはそれなりの時間と手間を覚悟しなければならないのである。

（『「自由」の危機——息苦しさの正体』所収、2021年）

Ⅳ ジェンダーをめぐる諸相

男たちよ

「日刊ゲンダイ」のお正月号に「思考停止している中高年サラリーマンに一言」という不思議な依頼を受けたのでこんなことを書いた。

鳥取県の智頭《ちづ》という町で天然酵母のパンとビールを作っているタルマーリーという店がある。その渡邉格《いたる》・麻里子ご夫妻が先日神戸のわが家まで遊びに来てくれた。そのときの最初の話題が「日本の男たちはどうしてこんなにダメになってしまったのだろう」という嘆きだった。

「日本の男たちは」というような大雑把な括り方で問題を立ててはいけないのだが、あえて「大雑把に」とらえた方が問題の輪郭がはっきりするということがたまにある。そういう場合は方便としてあえて「雑な論じ方」を採用する。

タルマーリーのお二人からは、採用しても、男子はこらえ性がなく、すぐに「きつい」と言って辞めてしまう、残って一人前に育つのは女子ばかりだという嘆きを聴いた。そうだろうなと思った。

私の主宰する武道の道場である凱風館には「部活」というものがある。スキー部とか登山部とか麻雀同好会とかそういうものである。次々と新しい「部活」ができるのだが、この数年を振り返ると、発案するのも、運営するのも、参加するのも女性たちである。乗馬部、滝行部、修学旅行部など面白そうな部活がいろいろ誕生したのだが、部員はほとんどが女性。先般、羽黒山伏の宿坊に泊まったときも、集まった山伏たちは大半が若い女性であった。「日刊ゲンダイ」の読者はたぶんご存じないだろうが、現代修験道は若い女性たちが支えているのである。なんと。

何年か前に「医学部受験で女子受験生だけ減点していた」という事件があったのをご記憶だろうか。あれはペーパーテストの点で上から順に取ると、女子学生が過半を占めてしまうので女子の面接点を減らしていたのだという内情を後から医学部の先生から聴いた。「パリテ」とか「クオータ制」とかいう議論を表面だけ聴くと、日本におけるジェンダー問題は「女性に下駄を履かせないと、バランスがとれない」ことのように思えるが、実は話は逆なのである。「男子に下駄を履かせないと、バランスがとれない」というのが日本におけるジェンダー問題の実相なのである。

制度的に「男に下駄を履かせる」ということはわが家父長制の伝統である。かつて男は正味の人間的実力とはかかわりなく、「ポスト」が与えられた。それで何とかなった。「ポスト」は定型を要求するからである。家長には子弟の進学や就職や結婚についての決定権があった。戦前の民法では、家長の判断に従わないメンバーには勘当されるリスクがあった。家長にはそれだけの権限があった。だから、それらしい顔つきで、それらしいことを言っていれば家族は黙って彼に服したのである。しかし、今、そんな制度の支えはない。男たちは正味の人間的実力だけで家族からの敬意を勝ち得なければならない。でも、そんなことができる男は申し訳ないけれど、きわめて少数に止まる。

本紙の記者からの依頼は「思考停止している中高年サラリーマンに年頭の一言」をというものである。彼らはもう定年まで勤め上げて、花束をもらって見送られ、悠々自適の年金生活を送るというようなのどかな未来を期待することができない。人口減やパンデミックやAIによる雇用消失が目の前に迫っている。彼らは明日にも路頭に迷うかもしれないというリスクにさらされている。しかし、そのシリアスな現実を直視する勇気がなく、砂の中に頭を突っ込んでいる駝鳥のように思考停止に陥っているというのが記者氏の診立てであった。

どうしたらいいのか問われても、私に妙案があるわけではない。中高年サラリーマン諸氏にはとりあえず「私は思考停止しているのではないか」という病識を持ってもらうしかない。病気になるのは「よくあること」である。病気になったら治療すればいいだけの話である。けれども、病気なのに「病気じゃない」と思い込んでいるといずれ危機的な事態になる。問題は、おそらく中高年サラリーマンの多くが「自分は思考停止なんかしてない」と思っていることである。だって、「周りの人間たちと同じことをしている」からである。ふつうは「みんながしていること」が「正常」で、「みんながしてないこと」が「異常」である。みんなが思考停止している社会では、思考停止していることが「ふつう」なのである。そして、これが現代日本社会のほんとうの病態なのだと私は思う。

例えば、全国紙や民放テレビは遠からずビジネスモデルとしては立ち行かなくなる。いくつもの新聞やテレビ局が消えるだろうが、その場合これまでそういうメディアが果たしていた社会的機能は何が代替するのか。重要な問いのはずだが、メディアはそれについては口をつぐんで語ろうとしない。「なぜ私たちは存在理由を失ったのでしょうか?」と自問するのがつらい仕事だということはわかる。だが、おのれ自身の足元が崩れているときにそれを報道することも分析することもできないほど知的に非力なメディアには、冷たいようだがもう存在理由がない。

思考停止から脱出するのはそれほど難しいことではない。自分の足元をみつめ、未来をみつめる。そして、ただしく絶望することである。思い切って「しょんぼりする」のである。武道を稽古しているとわかるが、「しょんぼりする」というのは、構えとしてはきわめて安定的で、しなやかなのである。どこにも力みがなく、こわばりもない。何か起きてもすぐに対処できる。

「アカルサハ、ホロビノ姿デアロウカ。人モ家モ、暗イウチハマダ滅亡セヌ」と太宰治は『右大臣実朝』に記している。暗いうちはまだ滅亡しない。とりあえず日本の男たちには適切に

「しょんぼりする」ところから始めることをお勧めしたい。

（「日刊ゲンダイ」２０２２年１月４日）

女性議員はなぜ少ないのか？

総選挙の総括を複数の媒体に寄稿した。違うところに同じ内容を書くのは学術の世界では「二重投稿」と言われて禁忌である。だから何とか違うことを書かねばならない。これまで「争点」「どぶ板選挙」「野党共闘」について書いた。この欄では「女性候補者の少なさ」についてて書く。

今回（2021年）の衆院選では45人の女性が当選した。前回から2人減。全当選者のうち女性が占める割合は9・7％。でも、これで驚いてはいけない。女性が参政権を得た戦後最初の総選挙（1946年）でも、実は女性当選者は39人、議員総数の8・4％に過ぎなかったからであった。この20年ほど、女性議員の割合は10％ラインを上下している。参議院では女性議員数は微増し続け本稿執筆時は22・9％にまで来ているが、衆議院は2009年の11・3％が過去最高である。ずっとその程度なのである。

有権者の50％は女性であるのに、彼女たちの集団を代表するはずの議員が10％以下しかないというのはよく考えると不思議な話である。それどころか、市区町村議会レベルだと「女性議員ゼロ」という議会が342（全議会の約20％）に及ぶ（2020年内閣府データ）。

どうして女性議員の比率はこれほど低いのか。いろいろな理由が考えられる。

私は「どうしてこれほど女性議員の比率が少ないのか?」という問いの立て方そのものが問題の所在をむしろ分かりにくくしているような気がする。こう問うと、あたかも男女間に議席のゼロサム的な奪い合いがあり、男性がそれに勝利し続けているというような印象を私たちは抱いてしまうからである。

だが、議席の9割を占める男性国会議員たちが「女性議員の数を増やさない」という暗黙の目的を掲げて一つの集団を形成しているようには見えない。男性議員たちは政党同士ではげしく対立し、同一政党内でもヘゲモニーをめぐって抗争を繰り広げている。そんな男たちが「女性の政治参加を阻止する」という一点についてだけは足並みを揃えているという仮説を私は採らない。

現に、政党ごとに女性立候補者の比率は大きく違う。今回の衆院選でも、社民党は60%、共産党は35・4%、国民が29・6%、れいわが23・8%と野党は総じて高い。だが、自民は9・8%、公明は7・5%といずれもこれまでの女性国会議員の比率よりも低い候補者しか立てていない。つまり、与党の二政党ははっきりと「女性国会議員を増やす気がない」という意思表示をして選挙に臨んでいたのである。

女性議員を増やすための「クオータ制」がときどき議論される。候補者や議席の一定数を女性に割り当て、違反した政党には政党助成金の減額などのペナルティを与えるという制度である。

男性と女性の間で議席のゼロサム的な奪い合いがあり、その戦いに男性が勝ち続けているというのなら、そのようにして性間での資源分配に強権的に介入することには合理性がある。けれども、わが国で女性議員が少ないのは、男たちが女性の政治進出を妨害しているというよりは、「女性の政治参加を求めない政党」が久しく政権の座にあり、彼らが選挙に勝ち続けているからである。

多数の女性有権者が「女性議員は少ない方がいい」と考えている政党に進んで投票し続けていることを「変だ」と思い始めない限り、現状は変わらない。

（「中日新聞」２０２１年11月７日）

師弟関係とハラスメント

早稲田大学でのセクシャル・ハラスメントで裁判闘争を戦っている深沢レナさんの会に協力している。以下は深沢さんの「陳述書」に寄せた解説である。

教育の場におけるハラスメントはまことに扱いの難しいものである。というのは師弟関係というのは対等の市民と市民がとりむすぶ「社会契約」ではないからである。そこにはある種の絶対的な非対称性がある。それが師弟関係の生命線なのである。そのことを理解していないと、師弟関係で起きるハラスメントの本質はわからない。

繰り返すが、師弟関係は社会契約ではない。教わる側が「これこれの代価を払うので、これこれの知識や技能を伝授して欲しい」と教師に告げたら、その時点で、それはもうほんとうの意味での師弟関係ではない。それは貨幣と商品のやりとりに類するものに過ぎない。

師弟関係とは、弟子がこれから師に就いて何を学ぶことになるのかについて事前には知らないという場合にのみ成立するものだからである。「自分が何を学ぶのかわからないが、学び始める」というのが師弟関係である。

わかりにくい話で申し訳ないが、師弟関係とか修行とかいうのは本来そういうものなのである。そして、この非契約的な師弟関係は、それと「自覚されない」ままに、今も学校教育の中に生きている。それが「自覚されない」でいるということが、日本の学校におけるハラスメントの培養基になっている。その話をしたい。いささか長い話になる。

能には張良《ちょうりょう》と黄石公《こうせきこう》の師弟関係を扱った曲が二つある。『張良』と『鞍馬天狗』である。

張良というのは秦の始皇帝の暗殺を企て、失敗して流浪の身となった貴公子である。ある土地で太公望の兵法を伝える黄石公という老人と知り合う。黄石公は張良に「太公望の兵法を伝えよう」と約束する。しかし、いつまで経っても何も教えてくれない。ある日張良は騎乗している黄石公に出会う。すると黄石公は左足に履《は》いていた沓《くつ》を落とす。「拾って履かせよ」と言われて、張良はそれに従う。別の日、また馬に乗った黄石公に出会う。老人は今度は両足の沓を落とす。そしてまた「拾って履かせよ」と張良に命じる。張良は「またかよ」と思って、ちょっとむっとするのだが、拾って履かせる。その瞬間に「心解けて」、ただちに太公望の兵法奥義を会得する。そういう話である。

この物語を日本人がある種の「芸談」として繰り返し語って倦まなかったのは、ここに師弟関係の本質があるということを日本の武芸者や芸能者たちが直感したからだろう。

この物語で黄石公は張良にかたちある知識や技術や情報を何も教えていない。彼がしたのは沓を落としただけである。ではなぜこれが極意の伝授として成り立つのか。

最初の左の沓を落としたのを張良はただの偶然と解しただろうと思う。当然である。でも、二度目に遭ったときに両足の沓を落としたときに、張良は「これは偶然ではない」と感じた。「この動作は何か意図的なものだ」と。そもそも張良と黄石公の間には「太公望兵法伝授」という関係しかない。だから、これは「太公望兵法伝授にかかわるシグナル」と解する他ない。

そのとき張良の脳裏に黄石公に対する「あなたはそうすることによって、何をしようとしているのか?」という問いが兆した。この問いが兆したということが「極意会得」の実相である。私はそう解釈している。

「あなたはそうすることによって、何をしようとしているのか?」という問いのことをジャック・ラカンは「子どもの問い」と呼んだ。べつに貶《へんげ》下的な意味で「子ども」と言っているわけではないと思う。人間が成熟に向かうときには、必ずこの問いを経由することになるからである。

あるふるまいを自分宛ての「暗号」として感知することはできるが、その「意味」はわからないということはありうる。ありうるというか、よくある。あらかじめ「暗号解読表」を渡されているのでない限り、その暗号の意味はわからない。でも、それが暗号であることはわかる。メッセージの意味はわからないが、それが「自分宛て」であることは分かる。そして、メッセージのコンテンツとアドレスは別の次元に属する。そこには「ずれ」がある。そして、あらゆる知的な自己刷新はこの「ずれ」から始まる。

その消息は世界中どこでも変わらない。人間はそうやってしか自分で設定した限界を超えることができないからである。

旧約聖書では、主は、雷雲や炎の柱や燃える柴などさまざまな非言語的表象を通じて、預言者や族長の前に臨在する。彼らにはそれが何を意味するかわからない。でも、それが「自分宛てのメッセージだ」ということだけはわかる。それがわかれば、そのあとになすべきことは一つしかない。それは「そのメッセージの意味を理解できるような人間」になるための、長い旅程の最初の一歩を踏み出すということである。もし、自分が今持っている記号システムの中にとどまる限り主のメッセージは理解不能であるのだとしたら、「システムの外部へ」踏み出す他ない。「あなたの生まれ故郷、あなたの父の家を出て、私が示す地へ行きなさい」という主の言葉に従うしかない。

旧約聖書はさまざまなエピソードを通じて「一神教信仰の起動」の瞬間を記しているが、物語の構造はすべて同じである。「意味はわからないが、自分が宛先であることはわかるメッセージを受信する」ことである。話はそこから始まる。そこからしか始まらない。

張良の経験も、アブラハムの経験も構造的には同じものである。「学び」も「信仰」もそうやって始まる。

師弟関係を通じて、弟子が劇的な成長を遂げるのは、「メッセージ」と「アドレス」の間に「ずれ」があるからである。「自分に何を告げようとしているのかはわからないが、それが自分宛てであることまではわかった」とき、弟子は、それが理解できるように自分の手持ちの記号システムを離れる。自分のそれまでの価値観や倫理規範をいったん「かっこに入れる」。意味のわからない言葉を必死に解釈しようとする。

そういう意味で、弟子は師を信じて最初の一歩を踏み出したときに、まったく無防備な状態になる。甲殻類がいったん身を護ってきた外皮を脱ぎ捨てて、脆弱で傷つきやすい状態を経由しないと、次のフェーズに脱皮できないのと同じである。

教育の場でハラスメントが繰り返し起き、それがしばしば深い傷を教わる側に残すのは、学びが起動するために弟子はこの「無防備」状態を経由しなければならないからである。師の言動を自分の「既知」の意味システムに落とし込んで理解しようとすることを抑制し、それを「自分の理解を絶した深い意味があるもの」として受け容れ、自分の手持ちの解釈システムそのものをいったん解体し、刷新しようとするからである。

これは弟子としてはまことに「正しいふるまい」なのである。その決断をなしうるということは、すでに学びの道に重要な一歩を踏み出したということである。「奥義の会得」に等しいほど大きな一歩なのである。

問題はこの弟子の決断を利用して、弟子を人格的な支配—被支配の関係に巻き込もうとする人間が「教える側」に存在することである。

今回の深沢さんのケースは、師弟関係において、弟子が自分をあえて無防備な状態に置き、自分の判断を一時保留するという「正しいふるまい」を選択したときに、教師が、それを利用して、自己の欲望を成就しようとしたものである。

この教師のふるまいが許し難いのは、それが単に教師個人の属人的な卑しさを露呈したものであるというのにとどまらず、師弟関係そのものを辱《はずかし》めたことにある。この教師は、彼女のうちに兆した「学びへの開かれ」そのものを穢したのである。

まことに気の毒なことだが、おそらくこのあと彼女はもうイノセントな気持ちで「師に就く」ということが難しくなったと思う。あるいはもう一生「師に就いて学ぶ」ということができなくなったかも知れない。自分の価値観を懐疑したり、当否の判断をいったん保留したりということが怖くてできなくなるかも知れない。自分に向かって「謎めいたこと」を告げるすべての人間に対して不信と嫌悪を感じるようになるかも知れない。

その傷は単に「一人の指導教員にハラスメントをされて不快な思いをした」という程度の言葉では語りきることができないほど深く、場合によっては回復不能のものである。

この教師は、自分が他人を人格的に支配できることの快感を享受するために、一人の人間の「学ぶ」能力そのものに傷を負わせたのである。自分の中に「学ぶ」気持ちが兆したとき、何かを「信じる」思いが兆したときに、ただちに強い恐怖感が湧き出して、その気持ちを抑え込んでしまうような人間を一人創り出したのである。そのことの罪の重さにこの大学教師はどれほど自覚的だろうか。おそらく、何も感じていないのだろう。このような男にはもともと教壇に立つ資格はなかったと私は思う。

教師というのは個人で営む仕事ではない。集団として営まれる事業である。同意してくれる人は少ないけれども、私はそう考えている。この職能集団の規範と倫理に、すべての教師はひとりひとり忠誠を誓わなければならない。それは医師たちが「ヒポクラテスの誓い」を誓言するのと同じことである。

「教師たる者は、学ぼうとする者が自己刷新のために、傷つきやすく、脆弱な段階を経由するときには、全力を尽くして彼らを外傷的経験から守らなければならない。」

私はこれを教育に携わるすべての人間が誓言すべきだと思う。

教師というのは医療者と同じくらいに太古的な職業である。その最も重要な戒律がこれである。この戒律を多くの人々が愚直に守ってきたおかげでこの職業は今に続いている。教師の本務はこの一条に集約されると私は思っている。

（「大学のハラスメントを看過しない会」ＨＰ　２０２２年9月11日）

セックスワーク
──「セックスというお仕事」と自己決定権

20年ほど前に性についての倫理を主題にした論集に「セックスワーク」についての寄稿を求められた。不得手な論件だったので、たいへん苦心して書いた。岩波書店から出た論集だと思うけれども、もう手元にない。考えていることは昔と変わらない。今はもうこんなにきつい書き方はしないと思うけれど。

はじめに

最初に正直に申し上げるが、私自身は、セックスワークについて専門的に考究したこともないし、ぜひとも具申したいような個人的意見があるわけでもない。ときどき、それに関する文章を読むが、数頁（場合によっては数行）読んだだけで気持ちが沈んできて、本を閉じてしまう。困ったものではあるが、私を蝕むこの疲労感は、必ずしも個人的なものとは思われない。

私の見るところ、この問題については、どなたの言っていることにも「一理」ある。ただし、「一理しかない」。異論と折り合い、より広範囲な同意の場を形成できそうな対話的な語法で自説を展開している方にはこの論争の場ではまずお目にかかることができない。みんなだいたい「喧嘩腰」である。経験が私に教えるのは、この種の論争では、みなさんそれぞれにもっともな言い分があり、そこに最終的解決や弁証法的止揚などを試みても益するところがないということである。

私は以下でセックスワークについて管見の及んだ限りの理説のいくつかをご紹介し、その条理について比較考量するが、そこから得られる結論は「常識」の域を一歩も出ないものになることをあらかじめお知らせしておきたい。

1 セックスワーク論の基本的考想

「セックスワーク」という言葉は価値中立的な語ではなく、それ自体明確な主張を伴った術語である（と思う。違うかもしれない）。この言葉が日本のメディアで認知されたのは、おそらくは『セックスワーク』というタイトルの売春従事者たちの証言を集めた本が93年に刊行されて以後のことだろう。

この本には売春婦の権利のための国際委員会（ICPR=International Committee for Prostitutes' Rights）憲章と世界娼婦会議（１９８６年）の声明草案が収録されている。セックスワーク論の基本的な考想を知るため、私たちはまず彼女たちの主張から聞いてゆきたいと思う。「憲章」は次の文言から始まる。

「個人の決断の結果としての成人による売春を全面的に非処罰化せよ。」(F・デラコステ他編『セックス・ワーク』、山中登美子他訳、パンドラ、1993年、386頁)

以下に続くその基幹的な主張は、

(1)「大部分の女性は経済的な依存状態にあるか、絶望的な状態にある。」それは女性には教育と雇用の機会が不足しており、下級職以外の職業選択を構造的に閉ざされていることによる。

(2)「女性には十分な教育を受け、雇用の機会を得、売春をふくむあらゆる職業で、正当な報酬と敬意が払われる権利がある。」

(3)「性に関する自己決定権には、相手(複数の場合も)や行為、目的(妊娠、快楽、経済的利益)など、自分自身の性に関する条件を決定する女性の権利が含まれる。」

以上の三つにまとめられるだろう。

その他に「強制売春・強姦の禁止」「未成年者の保護」「性的マイノリティへの差別の廃止」などもうたわれているが、それらの主張に異論を申し立てる人はまずいないだろうから、議論がありうるとすれば、この三項にかかわると予想して大過ないはずである。

ここに掲げた三項は（1）が「女性差別」をめぐる一般的状況の記述、（2）が「売春する権利」にかかわる要求、（3）が「性に関する自己決定権」の範囲について規定したものである。それぞれの含む条理について、以下で計量的な吟味を試みてみたいと思う。

2　フェミニストと売春婦の対立

世界娼婦会議の主張について、私たちがまず見ておかなければならないことは、それが伝統的なフェミニズムの父権制批判とかなりの齟齬があるということである。

私たちになじみ深い伝統的な廃娼運動は次のような考え方をする。

女性が性を商品化しなければならないのは、男性がすべての価値を独占し、商品価値のあるもの（権力、財貨、教育、情報など）を所有することを女性に構造的に禁じているからである。女性は父権制社会においては、本質的に「性以外に売るものを持たない」プロレタリアの地位に貶められている。売春婦はその中にあって、もっとも疎外された「抑圧のシンボル」である。それゆえ、喫緊の政治的課題は、売春婦たちをその奴隷的境涯から救出し、売春制度そのものを廃絶することである。

例えば、サラ・ウィンターはこの立場を代表して、次のように書いている。

「男性は、女性の体を性的利用目的のために売買する必要性と、その権利すらあることを正当化するために周到な試みをしてきた。これは売春を婉曲に職業と表現することで、ある程度は成功した。女性のおかれた不平等な立場や、売春婦にならざるをえないような前提条件などは都合よく無視して、低賃金、未熟練、単純労働に代わる、楽しめて実利的な仕事として、女性は売春をやりたがっているのだ、という神話を男性は喧伝し広めてきたのだ。(…)フェミニストとして私たちは、経済的従属状態や、強制された性的服従状態(私たちはこれを強姦と定義してきた)を批判し、廃するだけではなく、性的虐待および不平等な商取引である売春制度を批判し、廃していかなければならないと決意している。」(同書、322―4頁)

だが、ウィンターの威勢の良いフェミニスト的廃娼論と世界娼婦会議の主張の間には、乗り越えがたい懸隔が存在する。ご覧の通り、世界娼婦会議に結集した売春婦たちは、彼女たちの「生業」であり「正業」である売春制度の廃絶ではなく、存続を要求しているからである。

彼女たちが求めているのは、「女性抑圧のシンボル」として扱われることではなく、労働者として認知されることである。この点で売春婦たちはフェミニストと正面から対立してしまう。

「フェミニストが売春を正当な労働と認め、かつ売春婦を働く女性として認めるのをためらい、あるいは拒絶しているために、大多数の売春婦は自分をフェミニストとは考えていな

い」と声明草案は記している。（同書、３９０頁）

この対立について、フェミニストの主張と売春婦たちの主張を読み比べると、私は売春婦たちの訴えの方に説得力と切実さを感じてしまう。以下にその理由を述べる。

ウィンターはこの短い引用の中で二つのことを述べている。一つは、父権制社会においてはすべての女性が男性への経済的な従属を強いられ、性を商品化することを強制されている、という父権制批判。いま一つは、売春制度は男性の女性支配の最悪の形態である、とする売春制度批判である。それぞれを一つずつ読めば、どこにも矛盾はないように思われる。だが、二つを読み合わせると不整合があることに私たちは気づく。

というのは、売春婦を「より多く抑圧されている女」として「犠牲者化」することは、売春婦と一般女性のあいだにとりあえず「抑圧の程度差による序列化」を導入することに合意することを意味するが、この序列化には理論的な根拠がないからである。

売春婦を「穢れた女」、一般女性を「清らかな女」に区分する差別化はもちろんフェミニストの採るところではない。となると、売春婦が「より多く」抑圧されており、一般女性たちが「より少なく抑圧されている」という「差別」を可能にする理由は一つしかない。

それは、非売春婦たちの方が、売春婦たちよりも、「ロマンティック・ラブ」や「偕老同穴」や「貞操観念」などの近代家族幻想の延命に貢献しているからである。例えば、主婦たちは、男性に性的に奉仕し、その自己複製欲望に応えて子を産み、家事労働によってその権力独占活動を支援し、父権制の延命に深くコミットしているがゆえに、この社会においては売春婦よりは「より少なく抑圧されている」ことになる。

だが、「娼婦と比べて『高待遇』の終身雇用制となっていると思われる」（菅野聡美「快楽と生殖のはざまで揺れるセックスワーク――大正期日本を手がかりに」、田崎英明編著『売る身体／買う身体――セックスワーク論の射程』、青弓社、1997年、120頁）妻たちは、フェミニストの論理に従えば、父権制の無自覚な共犯者に他ならない。

この妻たちを、その「経済的従属状態」と「強制された性的服従状態」（ウィンターによれば、これは「強姦」である）から「解放」する戦いもまた喫緊の政治的課題だということにはならないのだろうか。父権制批判の立場からするならば、「主婦の解放」を「売春婦の解放」より「先送り」にする理由はない。

現に、「主婦こそは恥ずべき性的奴隷である」という指摘はすでに大正の与謝野晶子の時代からなされてきた。菅野聡美は与謝野の立場をこう祖述している。

「与謝野晶子は『良妻賢母の実質』は『結婚の基礎であるべき恋愛を全く排斥して顧みない物質的結婚に由つて妻と呼ばれ、唯だ良人たる男子に隷属してその性欲に奉仕する妾婦となり、併せてその衣食住の日用を便ずる台所婦人を兼ねることが謂ゆる我が国の良妻』だと言う。そして、『男子に依頼して専ら家庭に徒食する婦人を奴隷の一種とし、たとへ育児と台所の雑用とに勤勉な婦人であつても、猶なにがしかの職業的能力の欠けた婦人は時代遅れの

婦人として愧《は》ぢる習慣を作りたい』と述べている。」（同書、118頁）

まことに明快な理路である。だが、この論を是とし、「男子の財力をあてに」する生き方をする女性はすべて「男子の奴隷」であり、そのような生き方は否定されるべきものであるとするならば、そこから導出される結論は、父権制社会のすべての性制度の同時的廃絶であって、売春制度の選択的廃絶ではない。

ウィンターと与謝野晶子に共通する「女性＝性的奴隷」論は「総論」としては文句なく正しい。しかし、その理論に基づいて、「各論」的課題として、廃娼運動を進めようとすると、なぜ売春婦が主婦に先んじて「解放」されなければならないのかを言わねばならない。そして、そのときにもし、売春婦が主婦よりも「貧しく」「教養に欠け」「穢れた仕事に従事している」という事実をその優先性の根拠とするならば、それは「金」と「教養」と「処女性」に高い値札をつける父権制の価値観の少なくとも一部には同意したということを意味している。父権制批判から廃娼運動を導出しうることは、常識的にはほとんど自明のことであるけれど、なお論理的架橋が困難である理由はそこにある。

私たちは父権制批判を徹底させようと思えば、廃娼運動を唱導することは断念しなければならないし、廃娼運動を優先しようと望むなら父権制批判をトーンダウンさせなければならない。

このゼロサム構造ゆえに、ラディカルな父権制批判の立場を採る論者は、ほとんど構造的に売春容認の立場を選ばざるを得ないし、売春婦を「苦界」から救出しようとするものはドミナントな性イデオロギーにある程度まで譲歩せざるを得ない。個人的好悪とかかわりなく、論理の経済がそれを要求するのである。

3 「人権を守れ」

論理の経済に緊縛されている「不自由な知識人たち」に比べると、「現場」の諸君はもう少しでたらめであり、自由であるように私には見える。売春婦たちにとってみれば、極端な話、理論的整合性なんかどうでもよいからである。彼女たちは別に知的威信を賭けて語っているわけではないし、論理的に破綻があろうとなかろうと、言いたいことは一つしかない。それは「人権を守れ」ということに尽くされる。

彼女たちは、売春婦が「すべての女性と同じように」父権制社会において不公平な扱いを受けていることについては同意するが、「他の女性より多く」差別されているという考え方には同意しない。だから、売春制度の即時廃絶にも同意しない。彼女たちが求めているのは、「看護婦やタイピストやライターや医者などと同じように」（あるいは「妻たち」と同じように）、性的技能者として、安全と自由を保証された社会的環境の中で売春を業とする「労働する権利」である。

話の筋目を通すことより、もっと緊急なことがある。それは現実に行われている人権侵害を止めることだ。このセックスワーク論の基幹的主張には十分な説得力があると私も思う。現に売春婦の過半は貧困な家庭や劣悪な社会環境に育ち、十分な社会的訓練や教育を受けておらず、現在も客による暴力、管理者による収奪、警官による暴行の被害にさらされている。

例えば、売春婦は裁判に訴えても、客に不払い代金を払わせることはできない。「彼女は犯罪行為は行っていないが、売春は法が禁じているのだから、代金請求の根拠となる売春契約は違法で、公序良俗に反する契約として無効と判断される」(角田由紀子「解説」、デラコステ、前掲書、421頁)からである。

売春婦が相手の男性のサディスティックな行為に恐怖を抱き、相手のナイフを取り上げて刺殺した87年の池袋買春男性殺人事件でも、司法は売春婦に正当防衛を認めなかった。「地裁判決は、『見知らぬ男性の待つホテルの一室に単身赴く以上、(…)相当な危険が伴うことは十分予測し得るところである(…)いわば自ら招いた危難と言えなくもない』とし、高裁判決は『売春婦と一般婦女子との間では性的自由の度合いが異なる』と断定する。ホテトル嬢のような仕事であれば、どんな客がいるかわからない。それを仕事にしている以上、性的自由の侵害への抵抗は正当防衛として認められにくいというのである。」(若尾典子『闇の中の女性の身体』、学陽書房、1997年、211頁)

しかし、例えばタクシードライバーは、「見知らぬ人間」と「個室」に閉じこもり、人気のない場所へでも「単身赴く」以上、「相当な危険が伴うことは十分予測し得る」職業であるが、運転手が強盗に遭った場合に「自ら招いた危難と言えなくもない」というようなことを口にする裁判官は存在しないであろう。

これらの事例には、売春婦に他の職業人と同じ人権を認めたくない、とするイデオロギー的なバイアスが透けて見える。一般市民においては確保されている諸権利が売春婦には認められない。この無権利状態、無保護状態においてなお売春を生業とせざるを得ない女性たちに向かって、それに代わる生業の可能性を提示することなく、「犯罪だから止めろ」「抑圧されている仕事だから止めろ」「穢れた仕事だから止めろ」と言うことはむずかしい。

しかし、ここで知識人たちの多くは、「売春婦たちの人権を尊重すべきである」という主張にうなずくだけでは済まされず、売春を正規の労働として認知し、「売春は正しい」と主張するところにまで踏み込もうとする。私はここに「無理」があると思う。

知識人のピットフォール（落し穴）は「自分が同意することは『正しいこと』でなければならない」という思い込みにある。「理論的に正しくないことでも、実践的には容認する」という市井の人の生活感覚との乖離はここに生じる。

例えば、『女性学事典』の「セックス・ワーカー」の次のような説明は、知識人の困惑をよく表している。

「一般的に、セックス・ワーカーという概念は自己決定に基づく売春の擁護に用いられることが多い。すなわち、売春を自由意志に基づくもの（自由売春）とそうではないもの（強制売春）とに分けて、前者の売春を行なっている人たちをセックス・ワーカーと呼び、これらの人びとの売春する権利を認めるべきだとするような議論である。

しかし、売春者の権利主張の力点は、このような自己決定や自由意志に基づく売春の肯定という点にではなく、売春者の自己決定権の尊重という点にあると考えられる。買春《かいしゅん》は男の本能である、性犯罪を防止するためにはセックス産業は必要悪であるなどと見なされ、社会自体が売春する女性たちを必要としている。すなわち、売春は社会的に必要とされ、現に労働として行なわれているのである。にもかかわらず、道徳的にも法的にも許されない行為と見なされ続け、売春を行なう女性たちは差別され、さまざまな権利を奪われている。そのような差別に対する抵抗が、このことばには込められている。」（浅野千恵「セックス・ワーカー」、井上輝子他編『岩波 女性学事典』、岩波書店、2002年、304頁）

意味の分かりやすい文章とはとても言えない。それは「売春者の権利主張の力点は、このような自己決定や自由意志に基づく売春の肯定という点にではなく、売春者の自己決定権の尊重という点にあると考えられる」というセンテンスの意味が取りにくいからである。この文が言おうとしているのは、「売春を原理的に肯定すること」ということと「現に売春をしている人間の人権を擁護すること」は水準の違う問題だから別々に扱えばよいということである（そう書けばいいのに）。

「原理の問題」と「現実の問題」は別々に扱う方がいい。たしかに仕事はそれだけ増えて面倒になるが、それは「現実と折り合うためのコスト」として引き受けるほかない。

例えば、「囚人の人権を守る」ということは「犯罪を肯定する」こととは水準の違う問題である。囚人が快適な衣食住の生活環境を保証されることを要求する人は、別にその犯罪行為が免罪されるべきだと主張しているわけではない。人権は人権、犯罪は犯罪である。それと同じように、「売春は犯罪だが、売春婦の人権は適切に擁護されねばならない」という立論はありうると私は思っている。

しかし、多くの知識人はこういうねじれた話を好まない。まことに不思議なことだが、政治家や学者のような、社会的影響力を持つ人ほど「話を簡単にしたがる」のである。彼らは「売春は犯罪だから、売春婦に一般市民と同等の人権は認められない」という硬直した法治主義の立場に立つか、「売春婦の人権は擁護されねばならない。だから、売春は合法化されるべきである」という硬直した人権主義の立場に立つか、どちらかを選びたがる。しかし、現実が複雑なときに、むりにこれを単純化してみせることに、いったい何の意味があるだろう。

4　「身体の政治的使用」について

上野千鶴子は小倉千加子との対談で、売春は女性にとって貴重な自己決定機会であるという議論を展開している。

「小倉：そしたら上野さんは、援助交際する女の子の気持ちもわかりませんか？

上野：わからないことはない。援助交際は、ただではやらせないという点で、立派な自己決定だと思います。しかも個人的に交渉能力を持っていて、第三者の管理がないわけだから。（…）援交を実際にやっていた女の子の話を聞いたことがあるんですが、みごとな発言をしていました。男から金をとるのはなぜか。『金を払ってない間は、私はあなたのものではないよ』ということをはっきりさせるためだ、と。（…）『私はあなたの所有物でない』ことを思い知らせるために金を取るんだ、と彼女は言うんです。」（上野千鶴子、小倉千加子『ザ・フェミニズム』、筑摩書房、2002年、231頁）

上野は知識人であるから「政治的に正しいこと」を言うことを義務だと感じている。だから、ここで上野は売春を単に「容認する」にとどまらず、それが端的な「父権制批判」の「みごとな」実践であることをほめ称えることになる。自分が容認するものである以上、それは「政治的に正しい」ものでなければならない。それは上野の意思というより、上野が採用した「論理の経済」の要請するところである。

たしかに売春こそ父権制批判の冒険的実践の一部であるとみなすならば、フェミニスト廃娼論をとらえたピットフォールは回避できる。しかし、「政治的な正しさ」を求めるあまり、上野は売春をあまりに「単純な」フレームの中に閉じ込めてしまってはいないか。

ここのわずか数行で上野が売春について用いているキーワードをそのまま書き出すとその「単純さ」の理由が分かる。

「自己決定」「交渉能力」「第三者」「管理」「金」「金」「所有物」「金」。

これが上野の用いたキーワードである。ご覧の通り、ここで上野はビジネスタームだけを使って売春を論じている。上野にとって、売春はとりあえず「金」の問題なのである。「金」と「商品」の交換に際して、「売り手」が「買い手」や「問屋」に収奪されなければ、それは父権制的収奪構造への「みごとな」批判的実践となるだろう。

たしかに話はすっきりしてはいる。だが、すっきり「しすぎて」はいないだろうか。

ここでは売春について私たちが考慮しなければならない面倒な問題が看過されている。

それは「身体」の問題である。

売春する人間の「身体」はここでは単なる「商品」とみなされている。だが、身体を換金商品とみなし、そこから最大のベネフィットを引き出すのが賢明な生き方であるとするのは、私たちの時代における「ドミナントなイデオロギー」であり、上野が批判している当の父権制を基礎づけているものであることを忘れてもらっては困る。

私たちの時代においてさしあたり支配的な身体観は「身体は脳の欲望を実現するための道具である」というものである。

耳たぶや唇や舌にピアスの穴を開けるのも、肌に針でタトゥーを入れるのも、見ず知らずの人間の性器を体内に迎え入れるのも、身体的には不快な経験のはずである。そのような行為が「快感」としてあるいは「政治的に正しい」実践として感知されるのは、脳がそう感じるように命じているからである。身体が先鋭な美意識やラディカルな政治的立場の表象として、あるいは「金」と交換できる商品として利用できると脳が思っているからである。

「金」をほしがるのは脳である。当たり前のことだが、身体は「金」を求めない。

身体が求めるのはもっとフィジカルなものである。やさしい手で触れられること、響きのよい言葉で語りかけられること、静かに休息すること、美味しいものを食べること、肌触りのよい服を着ること……身体は「金」とも「政治的正しさ」とも関係のない水準でそういう望みをひかえめに告げる。だが、脳はたいていの場合それを無視して、「金」や「政治」や「権力」や「情報」や「威信」を優先的に配慮する。

私は脳による身体のこのような中枢的な支配を「身体の政治的使用」と呼んでいる。

上野が援交少女において「自己決定」と名づけて賞賛しているのは、この少女の脳がその身体を、彼女の政治的意見を記号的に表象し、経済的欲望を実現する手段として、独占的排他的に使用している事況である。少女はたしかにおのれの性的身体の独占使用権を「男たち」から奪還しただろう。

しかし、それは身体に配慮し、そこから発信される微弱な身体信号に耳を傾け、自分の身体がほんとうに欲していることは何かを聴き取るためではなく、身体を中間搾取ぬきで100パーセント利己的に搾取するためである。収奪者が代わっただけで、身体が脳に道具的に利用されているというあり方には何の変化も起こっていない。

セックスワーク論は、売春の現場においては、売春婦の生身の身体を具体的でフィジカルな暴力からどうやって保護するかという緊急の課題に応えるべく語りだされたもののはずである。だが、それを「売春は正しい」という理説に接合しようとすると、とたんに「生身の身体」は「道具」の水準に貶められる。

「金を払っていない間はあなたのものではないよ」と宣言することは、「金を払っている間はあなたのものだ」ということに他ならない。だが、それは、金を払っている間も、払っていない間も、売春が違法であろうと合法であろうと、人間の身体に対しては無条件にそれに固有の尊厳を認められるべきだという考え方とはずいぶん狙っているところが違うような気がする。

5　売春を自己決定の機会とみなす危うさ

身体を道具視した視座からのセックスワーク論は、上野に限らず、身体を政治的な権力の相克の場とみなす社会学者に共通のものだ。次の事例はその適例である。売春容認の立場を鮮明にしている宮台真司のインタビューに対して、東大生にして売春婦でもある女性は売春の「効用」を次のように熱く語っている。

「いろいろ経験したけど、自分の選択が正しかったと今でも思います。ボロボロになっちゃったから始めたことだったけど、いろんな男の人が見れたし、今まで信じてきたタテマエの世界とは違う、本音の現実も分かったし。あと、半年も医者とかカウンセラーとかに通って直らなかったのに、売春で直ったんですよ。（…）少なくとも私にとって、精神科は魂に悪かったけど、売春は魂に良かった。（…）私は絶対後悔しない。誇りを売ってるわけでもないし、自分を貶めているのでもない。むしろ私は誇りを回復したし、ときには優越感さえ持てるようになったんですから。」（宮台真司編『〈性の自己決定〉原論』、紀伊國屋書店、1998年、279頁）

彼女の言う「誇り」や「優越感」はやや特殊な含意を持っている。というのは、この大学生売春婦が「優越感を感じた」のは次のようなプロセスを経てのことだからだ。

「オヤジがすごくほめてくれて。体のパーツとかだけですけど。それでなんか、いい感じになって。今までずっと『自分はダメじゃん』とか思ってたのが、いろいろほめられて。（…）最近になればなるほど優越感を味わえるようになって、それが得たくて。オヤジが『キミのこと、好きになっちゃったんだよ』とか、『キミは会ったことのない素晴らしい女性だ』とか……。まあ……いい気分になっちゃいました。（…）オヤジは、内面とか関係なく、私の体しか見てないわけじゃないですか。『気持ち悪いんだよ、このハゲ』とか思ってるのも知らずに、『キミは最高だよ』とか言ってる（笑）。」（同書、276―7頁）

上野が挙げた援交少女とこの学生売春婦に共通するのは、いずれも自分を「買う男」を見下すことによって、「相対的な」誇りや優越感を得ているということである。彼女たちは彼女たちの身体を買うために金を払う男たちが、彼女たち自身よりも卑しく低劣な人間であるという事実から人格的な「浮力」を得ている。

しかし、これは人格の基礎づけとしてはあまりに脆弱だし退廃的なものだ。私たちが知っている古典的な例はニーチェの「超人」である。ご存知のとおり、ニーチェの「超人」は実定的な概念ではない。それは自分のそばにいる人間が「サルにしか見えない」精神状態のことを指している。だから「超人」は「笑うべきサル」、「奴隷」であるところの「賤民」を手もとに置いて、絶えずそれを嘲罵することを日課としたのである。何かを激しく嫌うあまり、そこから離れたいと切望する情動をニーチェは「距離のパトス」と呼んだ。その嫌悪感だけが人間に「自己超克の熱情」を供与する。だから、「超人」へ向かう志向を賦活するためには、醜悪な「サル」がつねに傍らに居合わせて、嫌悪感をかき立ててくれることが不可欠となる。

上野の紹介する「みごとな」援交少女と宮台の紹介する「誇り高い」売春婦に共通するのは、買春する男たちが女性の身体を換金可能な「所有物」や観賞用「パーツ」としてのみ眺める「サル」であることから彼女たちが利益を得ているということである。ニーチェの「超人」と同じく、彼女たちもまた男たちが永遠に愚劣な存在のままであり続けることを切望している。それは言い換えれば、父権制社会とその支配的な性イデオロギーの永続を切望するということである。

この学生売春婦は性を「権力関係」のタームで語り、上野の「援交少女」は「商取引」のタームで性を語る。「権力関係」も「商取引」も短期的には「ゼロサムゲーム」であり、ゲームの相手が自分より弱く愚かな人間であることはゲームの主体にとって好ましいことである。だから、彼女たちが相対的「弱者」をゲームのパートナーとして選び続けるのは合理的なことである。しかし、彼女たちは、長期的に帳面をつけると、「自分とかかわる人間がつねに自分より愚鈍で低劣であること」によって失われるものは、得られるものより多いということに気づいていない。

宮台によれば、「昨今の日本では、買う男の世代が若くなればなるほど、金を出さない限りセックスの相手を見つけられない性的弱者の割合が増える傾向にある。」（同書、265頁）

女性が「ただではやらせない」ようになり、そのせいで男性が「金を出さない限りセックスの相手をみつけられない」という状況になれば、たしかに性的身体という「闘技場」における男の権力は相対的に「弱く」なり、性交場面において女性におのれのわびしい性幻想を投射する「オヤジ」の姿はいっそう醜悪なものとなるだろう。当然それによって「今まで信じてきたタテマエの世界」の欺瞞性が暴露される機会が増大することにもなるだろう。だから、性的身体を「権力」の相克の場とみなす知識人たちが、売春機会（に限らず、あらゆる形態での性交機会）の増大に対して好意的であることは論理のしからしむるところなのである。

しかし、私は依然として、この戦略的見通しにあまり共感することができない。「自分より卑しい人間」を軽蔑し憎むことで得られる相対的な「浮力」は期待されるほどには当てにできないものだからだ。仮にもし今、週一回の売春によってこの学生売春婦の優越感が担保されているとしても、加齢とともに「体のパーツ」の審美的価値が減価し、「オヤジ」の賛辞を得る機会が少なくなると、遠からず彼女は「餌場」を移動しなければならなくなる。他人を軽蔑することで優越感を得ようと望む者は、つねに「自分より卑しい人間が安定的かつ大量に供給されるような場所」への移動を繰り返す他ない。

「東電ＯＬ殺人事件」の被害者女性がなぜ最後は円山町の路上で一回２０００円に値段を切り下げてまで一日四人の売春ノルマに精勤したのか、その理由はおそらく本人にもうまく説明できなかっただろう。私たちが知っているのはこの女性が「学歴」と「金」に深い固着を有していたということ、つまりその性的身体のすみずみまでがドミナントなイデオロギーで満たされた「身体を持たない」人間だったらしいということだけである。

　これらの事例から私たちが言えることは、売春を自己決定の、あるいは自己実現の、あるいは自己救済のための機会であるとみなす人々は、そこで売り買いされている当の身体には発言権を認めていないということである。身体には（その身体の「所有者」でさえ侵すことの許されない）固有の尊厳が備わっており、それは換金されたり、記号化されたり、道具化されたりすることによって繰り返し侵され、汚されるという考え方は、売る彼女たちにも買う男たちにも、そして彼女たちの功利的身体観を支持する知識人たちにもひとしく欠落している。

　性的身体はこの人々にとってほとんど無感覚的な、神経の通わない「パーツ」として観念されており、すべすべしたプラスチックのような性的身体という「テーブル」の上で、「権力闘争」のカードだけが忙しく飛び交っている。だが、この絵柄は私たちの社会の権力関係と商取引のつつましいミニチュア以外の何ものでもないように私には思われる。権力闘争の場で「権力とは何か？」が問われないように、経済活動の場で「貨幣とは何か？」が問われないように、性的身体が売り買いされる場では「身体とは何か？」という問いだけが誰によっても口にされないのである。

6　身体には固有の尊厳がある

セックスワーカーたちが「安全に労働する権利」を求めることに私は同意する。

ただし、それは左翼的セックスワーク論者が言うように、売春者が社会矛盾の集約点であり、売春婦の解放こそが全社会の解放の決定的条件であると考えるからではない。またフェミニストの売春容認論者が言うように、それが「みごとな自己決定」であると思うからでもない。社会学者が言うように、性的身体を闘技場とした「権力のゼロサムゲーム」での勝利が売春婦たちに魂の救済をもたらすと信じるからでもない。そうではなくて、現実に暴力と収奪に脅かされている身体は何をおいても保護されなければならないと思うからである。

それと同時に、売春は「嫌なものだ」という考えを私は抱いている。

ただし、それは保守派の売春規制派の人々が考えているように売春が「反社会的・反秩序的」であるからではない。そうではなくて、それが徹底的に社会的・秩序的なもの、現実の社会関係の「矮小な陰画」に他ならないと思うからである。

身体は「脳の道具」として徹底的に政治的に利用されるべきであるとするのは、私たちの社会に伏流するイデオロギーであり、私はそのイデオロギーが「嫌い」である。

身体には固有の尊厳があると私は考えている。そして、身体の発信する微弱なメッセージを聴き取ることは私たちの生存戦略上、死活的に重要であるとも信じている。

　売春は身体が発する信号の受信を停止し、おのれ自身の身体との対話の回路を遮断し、「脳」の分泌する幻想を全身に瀰漫《びまん》させることで成り立っている仕事である。そのような仕事を長く続けることは「生き延びる」ために有利な選択ではない。

「売春婦は保護すべきだ」という主張と、「売春はよくない」という考えをどうやって整合させるのかといきり立つ人がいるかも知れない。だが、繰り返し言うように、現実が整合的でない以上、それについて語る理説が整合的である必要はない。「すでに」売春を業としている人々に対してはその人権の保護を、「これから」売春を業としようとしている人に対しては「やめときなさい」と忠告すること、それがこれまで市井の賢者たちがこの問題に対して取ってきた「どっちつかず」の態度であり、私は改めてこの「常識」に与するのである。

（『岩波　応用倫理学講義〈5〉性／愛』所収、２００４年）

V　語り継ぐべきこと

半藤一利『語り継ぐこの国のかたち』文庫版解説

半藤一利さんの『語り継ぐこの国のかたち』（大和書房）が文庫化されることになって、解説を頼まれた。この本は単行本のときの担当編集者が『街場の親子論』の企画者だった楊木さんだったということで、ご縁があるのね、ということでお引き受けしたのである。

この本は半藤一利さんが最晩年に書かれたものを集成した論集である。

私自身は半藤さんにお会いしたことがない。書かれたものはずいぶん読んだけれど、ついに尊顔を拝する機会を得ないままに半藤さんは鬼籍に入られた。得難い方を失ったと思う。半藤さんのように東京大空襲を経験し、玉音放送を聴き、編集者となってから旧軍の人たちのオーラルヒストリーを聴き集めたというような希有な体験を持つ方がひとりずついなくなってゆく。そして、戦争を直接経験として有している世代が一人消えるごとに、戦争についての記憶がかすみ、あるいは歪められ、改竄され、上書きされる。戦争について語る言葉は時間とともに不可逆的に観念的でかつ軽いものになってゆく。そのことを半藤さんは亡くなられる前に強く危惧しておられたと思う。その思いは本書の行間ににじんでいる。

私は１９５０年の東京生まれである。戦後すでに5年経っていたが、幼い頃にはあちこちに戦争の痕跡が残っていた。1956年にこの本で半藤さんが書いているように「もはや戦後ではない」という言葉を人々が誇らしげに口にし始めた頃には、焼け跡も防空壕も生活圏では目につかなくなった。この「もはや戦後ではない」には「だから、もう戦争の話は止めよう」という遂行的なメッセージも同時に含意されていたと思う。それまで「戦争」はある意味では日常的でひどく身近なものだったからだ。

　家の近所に「あーや」と呼ばれる片腕の老婆がいた。子ども好きの親切な人だったが空襲で片腕を失っていた。母親にものをねだるといつも「うちは貧乏だからダメだ」と一蹴された。「どうして貧乏なの」と訊ねると「戦争で負けたから」と判で捺したような答えが返ってきた。仲良しだったしげおちゃんの父親は元憲兵下士官で、休日に昼酒を飲み目が据わってくると、「チャンコロ」を日本刀で斬った話をした。私の「樹」という名前は『教育勅語』の「朕《チン》惟《オモ》フニ我《ワ》ガ皇祖《コウソ》皇宗《コウソウ》国《クニ》ヲ肇《ハジ》ムルコト宏遠《コウエン》ニ徳《トク》ヲ樹《タ》ツルコト深厚《シンコウ》ナリ」から採ったものだ。名づけ親の松井さんは父の親友で、陸軍中野学校を出た職業軍人だった。静かな声で話す痩身白皙の人で、私は後にも先にも「虚無的」という形容詞があれほど似合う人を見たことがない。

　父が家で同僚たちと酌み交わしているときに、ときどき戦争中の話になることがあった。そのときに父が「負けてよかったじゃないか」とつぶやくように言ったのを聴いた覚えがある。その言葉が出るとみんなしばらくしんと黙って、そして違う話題に移った。小学校の担任の手嶋先生は快活で優しい男の先生だった。私はいつも先生にまとわりついていた。あるとき「先生は戦争に行ったの？」と訊いたことがある。先生はちょっとこわばった表情で「ああ」と答えた。「先生、人を殺したことある？」と重ねて訊くと、先生は蒼白になって黙り込んでしまった。

戦争は私の世代にとっては「現にそこにあるもの」ではなかった。そうではなく、むしろ「何かの欠如」だった。「欠如」していたのは、老婆の片腕であり、わが家産であり、青年の覇気であり、戦争の記憶だった。私たちの世代にとって、戦争の経験とは「何かが欠如している感じ」のことだった。それは現実にそこにあるものと同じくらいにリアルで、タンジブルな欠如だった。

私たちの前には多くの戦争経験者がいた。大陸や半島で植民地支配に加担した人たちがいた（母方の祖父がそうだった）。特高の拷問を受けた人がいた（岳父がそうだった）。どこかで深い心理的な傷を負い、そのせいである時期の出来事についてはうまく語ることができなくなっている人間がいた。

この「欠如」は目の前にいる私たちにとってはリアルなものだった。「リアルな欠如」というものがありうるのだ。けれども、それに向き合ったことがない人たちにその消息を言葉で伝えることは難しい。きわめて難しい。それは目の前にいる人がふいに「押し黙る」とか「蒼ざめる」という欠性的な仕方で雄弁だったのであり、その生身の身体が目の前からいなくなるとリアリティーを失う。

1980年代から戦争経験者たちが社会の第一線から消え始めた。それまで彼らの沈黙はある種の「重石《おもし》」として効いていたのだと思う。戦場で、占領地や植民地で、あるいは銃後の日本で、しばしば「口にできないほど忌まわしいこと」があったことは、彼らがことさらに言挙げしなくても、私たちには伝わった。けれども、それを現認していた人たちが死に始めると同時にその「重石」が効かなくなった。そして、「あのときほんとうにあったこと」について、その場にいなかったはずの年齢の人たちがとくとくとしゃべり出した。

歴史修正主義者が登場してきたのは、日本でもヨーロッパでも1980年代に入ってからである。まるで戦争経験者が死に始めるのを見計らったように、戦争について「見て来たような」話をする人間たちがぞろぞろと出てきたのである。

歴史修正主義は戦争経験者たちの集団的な沈黙の帰結である。どこの国でも、「口にできないほど忌まわしいこと」は口にされない。けれども、それを個人的記憶として抱え込んでいる人が生きているうちは、「口にされないけれど、ひどく忌まわしい何か」がそこにあったことについては沈黙の社会的合意が存在した。ただし、それには期間限定的な効果しかなかった。「墓場まで持ってゆく記憶」を抱えていた人が死ぬと同時に記憶も消える。そして、やがて「なかったこと」になる。それはドイツでも、フランスでも、日本でも変わらない。

だからこそ半藤さんの「歴史探偵」の仕事が必要だったのだと思う。半藤さんは戦争経験者たちが言挙げしないまま墓場まで持ってゆくつもりだった記憶の貴重な断片を取り出して、記録することを個人的なミッションとしていた。

私は半藤さんの『ノモンハンの夏』と『日本のいちばん長い日』をこのタイプのドキュメンタリーとしては際立ってすぐれたものだと思っている。「すぐれたもの」というような査定的な形容をするのは失礼で、むしろ「ありがたいもの」と言うべきだろう。半藤さんがこれらの書物を書き上げるために、どれほどの時間と手間を注いだのか、それを考えると、たしかに私たちは「ありがたい」と首を垂れる以外にない。

知られているように、『日本のいちばん長い日』は最初「大宅壮一編」として出版された。詳しい事情はわからないけれど、半藤さんが「他人の名前で出しても構わない」と思い切れたのは、重要なのは半藤一利の文名を上げることではなくて、ここに採録された歴史的事実をできるだけ多くの日本人に知ってもらうことだと思ったからだろう。常人にできることではない。

本書で半藤さんは私たちにいくつかの歴史資料を紹介し、あるいは何人かの忘れがたい人(陸奥宗光や石橋湛山や司馬遼太郎や小泉信三)の風貌を伝えている。その記述は体系的なものではない。思いつくままに、思い出すままに書いているように見える。でも、半藤さんはここで決して単なるトリヴィアルな逸話を並べているわけではないと思う。これらの書き物のすべてに伏流するのは、半藤さんが自分の眼で見て、自分の耳で聴いたことを、自分ひとりの経験で終わらせることなく、自分の死とともに忘却されることに抗って、後続世代に手渡したいというつよい願いである。それは半藤さんに先行する世代の人たちが、「自分たちが見聞きしたこと」を語らぬままに、伝えぬままに死んでいったことが現代日本の政治的危機をもたらしたという痛苦な反省をふまえているのだと思う。

半藤さんは明治維新以来、40年ごとのサイクルで国運の向上と転落が繰り返されているという（司馬遼太郎が『この国のかたち』で立てた）仮説を受け継いで、日露戦争の勝利にのぼせ上ってから悲惨な敗戦に至るまでの40年の「転落」局面が、１９９２年のバブル崩壊から40年、もう一度繰り返されるのではないかという見通しを語っている。

「国家に目標がなく、国民に機軸が失われつつある現在のままでは、また滅びの四十年を迎えることになる。次の世代のために、それをわたくしは心から憂えます。」（35頁）

半藤さんの計算が正しければ、次の「敗戦」まであと10年ほどしか残されていない。つまり、いまの日本は１９３５年頃の、滝川事件や國體明徴運動で、言論や学術の領域から「もの言えぬ」空気が浸潤してくる時期と符合するということになる。「あとがき」でも半藤さんは「日本のトップにある人」たちが、「戦後七十年余、営々として築いてきた議会制民主主義そして平和を希求する国民の願いをなきものにしようとしている」ことに懸念を示している。（３０３頁）

10年後に迫った「二度目の敗戦」を避けるためには、私たちは過去の失敗に学ぶしかない。「過去の失敗に学べ。歴史から学ばないものに未来はない」という半藤さんの「遺言」を私たちは重く受け止めなければならない。

（半藤一利『語り継ぐこの国のかたち』所収、２０２１年）

「危機」について

『新潮45』という雑誌が以前存在した。ある時期から極右的な論調に変わって、質の悪い記事を掲載するようになってそのうち廃刊になった。まだまともな雑誌だった頃にはよく長いものを書かせてくれた。これもその中の一つ。２０１２年の2月に書いたので、もう10年前になる。朴東燮先生が「読みたい」と言うのでＨＤの筐底を探して見つけ出した。10年経ってもリーダブルなような気がしたので、再録する。

先日、哲学者の鷲田清一先生と「3・11後の日本の危機的状況」について対談する機会があった。私がホスト役で、鷲田先生から話を聞き出すという趣向の会だったので、冒頭で私が「われわれは今、ポスト・グローバリズムの世界という、前代未聞の歴史的状況に投じられています。さて、これから、いったいどうやって、この危機を生き抜くべきなのでしょうか?」というようなよくある定型的な問題提起を不用意に口にしてしまった。すると、鷲田先生に「内田さん、『危機』という言葉が、いつごろから流行り出したか知ってはる?」と反問され、不意を突かれて一瞬絶句してしまった。

「危機いうのはね、あれは20世紀に入ってから、流行りだしたんよ」と言われて、胸を衝かれた。

たしかに二人で数えてみると、ポール・ヴァレリーの『精神の危機』、ポール・アザールの『ヨーロッパ精神の危機』、フッサールの『ヨーロッパ諸学の危機と超越論的現象学』とか、「危機」という言葉がたいへんによく使われ出したのはその頃からのことである。

ハイデッガーは「危機の時代の思索家」と呼ばれたし、オルテガの『大衆の反逆』も危機論である。「不安」や「孤独」や「絶望」や「痛み」が哲学の常套句になったのも思えばその頃からである。

とりあえず、1910年代に「危機」という言葉が哲学の世界では流行語になった。爾来100年、われわれは「危機だ、危機だ」と言い続けているのである。

鷲田先生の哲学史講義によれば、それまでは、哲学の優先的な主題は「幸福論」だったそうである。アリストテレスからスピノザ、ショーペンハウエルから、ヒルティー、アランに至るまで、哲学者たちは「幸福とは何か」、「人間は何のために生きているのか」、「どうやって幸福を追求するのか」を主題的に論じていた。

たしかに言われればその通りである。ところが、ある時期から幸福論が哲学の主題であることを止めて、代わりに危機論が前景に迫《せ》り上がってきた。そのときに、「どうして危機論がその時期に流行りだしたのか」その歴史的理由を二人であれこれ考えた。

テクノロジーの急速な進歩がその理由であることはたしかである。この時期に劇的な進化を遂げたのは何よりもまず「人間を破壊するためのテクノロジー」であった。

第一次世界大戦（1914～18年）では、飛行機、戦車、火炎放射器、毒ガスといった大量殺戮兵器が登場した。兵士たちの方は中世の戦争とそれほど変わらない布きれの軍装をまとっただけで戦場にかり出されて、すさまじい破壊力をもつ戦争機械によって殺戮されたのである。

ヨーロッパでの大規模戦闘としては、その40年前に普仏戦争（1870～71年）がある。その死傷者数が25万人。ところが、第一次世界大戦の死傷者は突然2600万人に跳ね上がる。いきなり100倍である。シャスポー銃しか経験したことのなかった市民たちがいきなり高性能殺戮機械に投じられ、ミンチのようにすり潰されたのである。

第一次世界大戦では、有史以来のすべての戦争の戦死者をはるかに超える数が局地戦ごとに累積していった。激戦地では屍体が重なり会って一望しても地表が見えなかった。

この時期はまだ整形外科が発達していなかったので、戦後ヨーロッパの街々に身体破壊を受けた復員兵たちが往還することになった。手がない、足がない、顔が半分ない、そういう人たちの姿を日常的に見せつけられたのである。このときの市民たちの衝撃を想像することは難しい。人間が「人間の作り出したもの」によって破壊されている。その恐怖の身体実感が「危機」の背景にある。これはかなり納得のゆく説明ではないかと思う。

もう一つの解釈は、私の暴走的思弁なので、あまり信憑性はないので、読み流してもらって構わないが、危機意識の生成はヨーロッパにおけるある階層の消滅と関連するのではないかという仮説である。

ヨーロッパで1910年代に起きた最大の歴史的事件というと、第一次世界大戦とロシア革命だけれど、実は目に見えないけれど、もっと大きな事件があった。それは、貨幣価値の暴落である。

ヨーロッパの通貨というのは、17世紀末から20世紀の初めまで200年間の長期にわたって安定していた。われわれはインフレとデフレの周期的交代の時代しか知らないので、長期的に貨幣価値が安定していると何が起きるかということをうまく想像できない。

貨幣価値が長期にわたって安定していると、それ以外の時代には存在しえない階層が棲息可能になるのである。「高等遊民」という種族である。

ヨーロッパのように、何世紀も前に建てられた石造りの家に住んでいて、先祖伝来の家具什器を使って暮らせる社会では、親や祖父の代に購入したロシア国債とかフランス国債の金利で子孫は遊んで暮らすことができた。

「年金生活者」のことをフランス語で「ランティエ（rentier）」と言う。贅沢さえしなければ（贅沢には「家族を持つこと」も含まれる）、生涯徒食できた人々である。生活するために人に命令されたり、組織に入る必要がない「自由人」が何十万単位でヨーロッパ各国に散在していたのである。貴族もある種のランティエだが、もっと収入が少なくて、生活水準が低くても、「生きるために、誰にも頭を下げる必要ない」市民たちが集合的に存在していたのである。

19世紀に活躍した名探偵たち、オーギュスト・デュパンやシャーロック・ホームズは典型的なランティエである。だから、アームチェアに座って、パイプをふかしながら、哲学をしたり、詩を書いたり、音楽を聴いたり、芝居を見たり、科学の実験をしたり、殺人事件の推理をしたりすることができたのである。彼ら自身が芸術運動の担い手であったり、科学者であったりしたわけではなくても、同時代では最も感度のよいオーディエンス群をなしていた。

そのことは「デュパンと僕」や「ホームズとワトソン」の浮き世離れした会話を徴すればわかる。何か新しい文学上の運動が起こる、ある種の自然科学の発見があった、新しい政治運動が起きた、というようなときには、ランティエたちがもっとも早く反応した。なにしろ暇なのであるから、そういう新奇な話には眼がない。「来週から犬ぞり隊が北極に出発するんだけど、隊員がひとり足りないんだよ」というような話を聞きつけて、「あっ、俺行く」とすぐに手を挙げられるのはランティエしかいない。勤め先がなく、扶養家族がなく、小金を持っている。そういう人たちが19世紀末まで、ヨーロッパにおける知のフロンティアを担ってきた。この「暇人」階層こそ、ヨーロッパ近代における芸術的な、あるいは学術的なイノベーションの温床だった。私はそう考えている。別に歴史学的な根拠があるわけではないのだが、何となくそう思えるのである。

19世紀のフランスの小説を読んでいるときに、「この男、どうやって食っているんだろう?」ということがふと気にかかることがないだろうか。何も仕事をしていないのに、サロンに出入りして、人妻に恋をしたり、詩を書いたり、決闘したりしている男たちが出てくる。記述があまりに自然なので、「どうやって食っているんだろう?」といった散文的な問いが前景化しなかっただけで、実は彼らはおおかたランティエだったのである。

そういう諸君が文学作品を書いたり、その登場人物であったり、あるいはその読者であったり、批評家であったりした。彼らが、ヨーロッパにおける「何の役にも立たない」ような各種の知的ムーブメントをほとんど独占的に牽引していた。

そういう社会的な階層が長期にわたって存在していた。それが第一次世界大戦の勃発と同時に消滅する。インフレで貨幣価値が一気に下落したからである。もう公債の金利では生活できなくなった。ロシア国債なんか革命で紙くずになってしまった。その金利で徒食していた人々は一夜にして路頭に迷うことになった。わずかな期間のうちに、全ヨーロッパからランティエという社会階層そのものが消滅してしまった。

このランティエの消滅こそが1910年代の危機の実相ではないか。私は鷲田先生と話しながら、ふとそう想像した。200年間にわたって、この階層の享楽的な生き方を可能にしてきた経済的基礎そのものが崩落した。そのときに彼らが感じた存在論的不安が「危機」として認識されたのではないか、と。なにしろ、彼らはそれ以外の生活の仕方を知らないままに二代、三代と徒食してきたのである。明日からどうすればいいかわからない。生きるノウハウを知らない。持っているのは、芸術や学問とかについてのトリヴィアルな知識や、服装コードや食卓マナーや、密室トリックを破る推理力のようなまるで非実学的なことだけなのである。

「危機」という言葉に時代を画すほどのインパクトがあったとするなら、それが頭の中でこしらえあげた概念であるはずがない。実生活の破綻や身体的に切迫してくる不安がなければ、人間は「危機」というような言葉を口にしない。私たちはつい「精神の危機」「諸学の危機」というようなリファインされた言葉に惑わされがちだが、1910年代の危機の実相は、集団的に経験された「生活の危機」のことではないか。

でも、ランティエたちは「精神の貴族」であるから、「明日の米びつが心配で夜も眠れない」というようなことは口が裂けても言えない。それに、そんな泣き言を言っても誰も取り合ってくれやしない。だから、「これはヨーロッパの精神的危機だ」というふうに、眉間に縦じわを寄せて、あたかも人類史的な緊急事態であるかのように言い換えてみた。そういうことではないか。

カズオ・イシグロに『日の名残り』という話がある。これは1920～30年代の話。大戦間期に、イギリスの貴族がドイツやフランスの要人たちとひそかに連携して、戦時賠償で苦しんでいる敗戦国ドイツを救おうとする。そういう古いタイプの政治家たちが集まって密談しているところに、アメリカからの来客である上院議員が登場する。彼は集まった上品な政治家外交官たちに向かって、冷たくこう言い放つ。

「ここにおられる皆さんは、まことに申し訳ないが、ナイーブな夢想家にすぎない。（…）上品で、正直で、善意に満ちている。だが、しょせんはアマチュアにすぎない。」

「諸君の周囲で世界がどんな場所になりつつあるか、諸君にはおわかりか？　高貴なる本能から行動できる時代はとうに終わっているのですぞ。ただ、ヨーロッパにいる皆さんがそれを知らないだけの話だ。（…）ヨーロッパがいま必要としているものは専門家なのです。」（カズオ・イシグロ『日の名残り』、土屋政雄訳、早川書房、2001年、147―8頁）

これからは軍事と金のリアル・ポリティクスの時代である。もう、あなたたちのような貴族同士の信義とか友情とか、そういうことで外交ができる時代は終わった。アマチュアは政治の世界から出てゆきたまえ。上院議員はそう一喝する。

私は『日の名残り』というのは、執事とメイドの控えめな恋の話だと思って気楽な気分で読んでいたのだけれど、実はなかなか深い政治史的転換が物語に副旋律を奏でていたのである。たしかに1930年代までは、国境を越えた、「文芸の共和国」的な貴族たちの連携が存在していた。

それは例えば、ジャン・ルノワールの『大いなる幻影』の主題でもあった。この映画では、ドイツの貴族であるラウフェンシュタイン大尉は、同国人であるがさつなドイツ兵士よりも捕虜である上品で教養深いド・ボアルデュー大尉に深い連帯感と親しみを感じる。ドイツとフランスというふたつの国民国家間の対立よりも、もっと深く越えがたい溝が貴族と大衆の間に存在する。だから、貴族たちは国境を越えて連帯すべきである。このような考え方は「万国のプロレタリア団結せよ」というマルクスの『共産党宣言』の対抗命題として当然存在してよかったものなのである。というより、マルクスの「万国のプロレタリア団結せよ」という言葉は、それ以前にすでに「万国のブルジョワジーは団結している」という事実があったがゆえに、発せざるを得なかったスローガンではなかったのか。

私たちは「消えてしまったもの」のことは非情にも記憶にとどめない。国際共産主義運動はその後歴史的事実になったので、私たちはそのようなものが存在し得ることを理解できるが、「国際的な貴族たちのネットワーク」が存在し得ることには理解が届かない（実際に存在したものなのに）。

ともあれ、そのような国際的なネットワークに対して「歴史的使命が終了した」という宣告が下され、それに代わって、「貨幣と軍事力」しか信じないリアリストたちが登場してくる。たしかに、『日の名残り』のアメリカ人上院議員のようなタイプのタフガイでなければ、アドルフ・ヒトラーのような男には対抗できなかったのかも知れない。そういう意味では、レーニンも、ムソリーニも、スターリンも、毛沢東も、20世紀的な「大衆」の力に乗って出てきた政治家たちであるという点では「新興階層」の人々なのである。彼らはまさに旧時代の貴族たちをその「ノブレス・オブリージュ」のモラルごと蹴散らして登場してきたのであった。

貨幣と軍事力、それがこれからは国際政治の力学を決定してゆくのだという新たな社会観の前に旧世界の貴族やランティエたちが膝を屈する。オルテガが『大衆の反逆』で描いたのは、まさに蹴散らされる側の貴族階級からの、時勢の変化に対する哀惜と静かな怒りであった(だから、この哲学書にただよう空気はどこかしらチェーホフの『桜の園』に似ている)。自分たちの劇場の桟敷席に大衆が入り込み、自分たちのリゾートに大衆が土足で踏み込んでくるのを手を拱《こまね》いて見るしかないかつての貴族やランティエたちのどす黒い怒りと苦しみ、これまで彼らが独占してきた芸術や学芸や政治や科学や冒険や快楽が、リアルな実力を背景にした新興階層に次々と奪われてゆく、その救いのない被侵略感と被略奪感がおそらく「危機」という言葉を基礎づけた生々しい身体実感ではないか。私はそんなふうに想像するのである。

現に、先に名を挙げたヴァレリーやハイデッガーやフッサールやオルテガに共通するのは「精神の貴族性」である。「精神の貴族性」が脅かされていると感じた人たちがその時期に一斉に「危機論」を語り出した。彼らが守ろうとしたのは、具体的な制度や理論や技術ではなく、先端的なものを創り出す行為そのもの、生成的なプロセスだったのだろうと私は思う。
今、目の前で「何か新しいもの」が生まれ出ようとしている、「前代未聞のもの」が誕生しようとしている、劇的なブレークスルーが、今ここで起きようとしている、そういう生成的なものに対するセンサーの感度のよさこそがランティエたちの集合的特技であった。彼らの階層的な没落によってそのセンサーが一気に劣化してしまうのではないか、彼らは自分たちの生計について心配するのと同時に、そのような人類史的責務の担い手が彼らの没落とともに消え去ることを懸念してもいたのである。たぶん。

日本でも似たような事情があったように思う。1910年代というのは日露戦争(1904〜5年)のすぐ後である。明治維新から走り続けた大日本帝国は日露戦争に望外の大勝利を収めた。「坂の上の雲」をめざして走り続け、頂上に達したそのときに、突然世界の風景が一変する。それまで、明治維新以来、官民一体となって植民地化の危機を乗り越えて、列強の一角に食い込むことについては、国民的コンセンサスが成り立っていた。そのようなある意味で可憐な国民的連帯感が日露戦争の勝利を境に崩れてゆく。一部の国民の間に、「日本は一等国になったんだ」というけちくさい思い上がりが瀰漫するようになる。外寇から同胞と祖国の山河と伝統的な文化を守るのだというパセティックで浪漫的な気風が消え失せて、戦勝国に許された領土や利権を喜ぶようになる。その国家的な規模の欲望が感染して、民衆たちもまた権力や金銭に対して節度のない欲望をもつことを恥じなくなる。

私の勝手な想像だが、このありさまを見ていた当時の知的な人々の中には、「戦争に勝ったせいで、かえって日本は堕落した」という嘆きを覚えた人もいたはずである。

夏目漱石の『三四郎』の冒頭には、熊本から上京する三四郎が汽車旅行の途次、日露戦争後の浮き立つような気分に背中を押されて、同乗の男に向かって「しかしこれからは日本もだんだん発展するでしょう」と話しかける場面がある。この三四郎のナイーブな問いかけに、男は素っ気なく「滅びるね」と答える。三四郎は「熊本でこんなことを口に出せば、すぐなぐられる。悪くすると国賊取り扱いにされる」と驚愕する。

だが、この「滅びるね」という言葉には日露戦争後の日本社会の道徳的な堕落に対する漱石自身の苦い思いが込められていたのだと思う。


（『新潮45』２０１２年5月号）

『アジア人物史』月報

姜尚中さんが編集にかかわっている『アジア人物史』（集英社）というシリーズが出ることになって、月報にエッセイを頼まれた。

歴史の風雪に耐えたものだけが生き残り、歴史の淘汰圧に耐えきれなかったものは消えてゆく。よくそう言われる。でも、それほど軽々しくこのような命題に頷いてよいのだろうか。私はいささか懐疑的である。

たしかに「棺を蓋《おお》いて事定まる」という古諺《こげん》の意味なら私にも分かる。ある人がどれほどの人物だったのか、その人の事績がどれほど意義のあるものだったのかは生きている間には確定しない。死んでからそれなりの時間が経たないとほんとうのところは分からない。その通りである。でも、死んでからあまり時間が経つと、それはそれで分からなくなる。死んで50年くらいまでなら、史料もあるし、記憶している人もいる。でも、100年くらい経つと、文書は四散し、生き証人は死に絶える。1000年も経つと、日常生活の中でその人の名が口の端にのぼるということは、よほどの例外的人物以外についてはなくなる。

だが、それでよいのだろうか。

歴史の淘汰圧はつねに正しく、残るべきものは必ず残り、消えるべきものは必ず消える。歴史という審級は過たず残るものと消えるものを判別するという信憑のことを「歴史主義」と仮に呼ぶとする。「歴史は絶対精神の顕現過程である」とか「歴史は真理が不可逆的に全体化してゆく過程である」とか「歴史は鉄の法則性に貫かれている」とかいう考え方をする人たちのことを私は「歴史主義者」と呼ぶ。私が勝手にそう命名しているだけで、別に一般性を請求する気はない。そして、これもまた個人の感想であるが、私は歴史主義に対してかなり懐疑的である。

「……の時代は終わった」とか「これからは……の時代だ」とかいう広告代理店が好む言葉づかいは典型的に歴史主義的なものである。だが、The latest is the best「一番新しいものが最高だ」というのは、少し考えればわかるけれど、まったく事実ではない。

今ここにあるものは存在する必然性があるから存在するのであり、今ここにないものは存在すべきではなかったから存在しないのであるというタイプの単純な「リアリズム」と「歴史主義」は同一の思考のコインの裏表である。

歴史主義は政治的ステイタス・クオを正当化したい人々や、消費者の欲望を亢進させようとする人々にとってはたしかにきわめて好都合なイデオロギーだろう。だが、もう一度繰り返すが、これはまったく事実ではない。

私たちの目の前に今あるものだけが「歴史の風雪に耐えて生き延びたもの」「存在する必

然性のあるもの」であり、ここにないものは「歴史の風雪によって淘汰されたもの」あるいは「存在する必然性がないもの」だということはない。そもそも私たちの目の前に今あるものの相当部分は少し経てば（場合によっては数か月ほどで）「歴史の淘汰圧に耐えきれず消えるもの」なのである。

だから、ひねくれた言い方になるが、歴史家は「歴史という審級」の判定力を軽々には信じるべきではないと思う。

いや、別に私がそんなことを言わなくても、おそらく職業的な歴史家というのは実は「歴史の判定力」をそれほど信じていない人なのだろうと思う。もし「歴史の判定力」をほんとうに信じていたら、打ち捨てられた古文書を渉猟したり、誰も訪れることのない旧跡の由来をたどったりすることをしないはずだからである。記憶すべきことが忘れられ、讃えるべき功績や糾弾されるべき悪行について語り継ぐ人がいないという事実を歴史家ほど熟知している人はいないはずだからである。

だとすれば、歴史家の本務はむしろ「歴史の淘汰圧」に抗うことではないか。歴史家ひとりひとりの判断において「語り継ぐべきこと」を史料のうちから掘り起こし、今に蘇らせることこそが歴史家の仕事ではないのだろうか。

司馬遷の「列伝」の第一は伯夷列伝である。伯夷叔斉は王位を辞して野に逃れ、周の禄を食むことを拒んで隠棲して餓死した仁者である。司馬遷はなぜ伯夷叔斉のような徳者が餓死し、盗蹠《とうせき》のような悪人が富貴を究め天寿を全うするのか、その理不尽にこだわった。「天道は是か非か。」そして、伯夷叔斉が今に名をとどめ得たのは孔子の功績によると書いた。仁者賢人の名がさいわい今も記憶され、顕彰され得たのは孔子の事業である。「天道」がそうしたのではない。

司馬遷が「列伝」の筆を「天道はしばしばアンフェアである」という伯夷叔斉の逸話から起こしたことは偶然ではないと思う。司馬遷は賢人や仁者を記憶のアーカイブにとどめるのは天の仕事ではなく、人間の仕事だと考えたのである。

歴史家は「私がここで書き留めておかないと人々の記憶から忘れ去られてしまうかも知れない人」を選り出してその「列伝」を残す。司馬遷は「歴史そのもの」に人物の良否を判定する力があるとは考えなかった。誰の事績を書き残し、誰の徳性や叡智を称えるべきか、非とすべきか、それを決めるのは歴史家ひとりひとりの見識であると考えた。私は歴史家の構えとして、これは正しいと思う。

私たちの世界は今どこでも「歴史修正主義者」たちが跳梁跋扈している。彼らは「歴史の淘汰圧」が実はあまり信用できないということをよく知っている。真実を否定することも、作話を正史に記載させることも可能であることを彼らは知っている。歴史そのものには必ず真実をその正しい地位に就け、虚偽を「歴史のゴミ箱」に投じるだけの力はない。この仕事について、私たちは「天道」からの支援を当てにすることはできない。その責務を果たすのは一から十まで歴史家なのである。

この『アジア人物史』の企図は司馬遷の「列伝」のそれに通じるものだと思う。私が読んだ範囲では、執筆者たちがその事績を詳細に語ってくれた人物のほとんどを私は知らなかった。しかし、「ほとんどの読者が知らない人物」の事績を語り、集団的記憶に刻み付けておくことこそが歴史家の最もたいせつな仕事の一つなのだと思う。

（『アジア人物史』第二巻付録「月報」に所収、２０２３年）

図書館の戦い

私を講演にお招きくださる団体は教育関係が一番多い。医療系学会、キリスト教系団体、市民運動の団体からもよく招かれる。最近図書館関係からのお招きが二度あった。

ご存じだと思うけれど、図書館は今危機的な状況にある。どこの自治体でも図書館はコストカットの標的になっている。その社会的有用性を数値的・外形的に証明することが困難な事業だからである。図書館が市民の知的成熟にどう裨益《ひえき》したのか年度末までに数値的なエビデンスを示せと言われても無理である。予算を投じた分のアウトカムが示せないものは不要な事業だと言われても反論が難しい。だから、図書館予算は削られ、司書は解雇され、民営化される。

でも、司書たちにとって一番つらいのはどういう本を配架するかについて市場原理を押し付けられることだと聞いた。利用者が読みたがる本だけを置け、閲覧実績のない書籍は廃棄しろ、とにかく来館者を増やせ……というようなことを言われるらしい。だが、それは話が違うと私は思う。

私自身の「図書館の思い出」は、人気のない書架の間をこつこつと靴音を立てながら長い時間歩いていたことである。左右を見回すとどこまでも続く書架に無数の本が並んでいる。

でも、そのほとんどについて私は書名も著者名も知らない。そんなものがこの世に存在することさえ知らなかった専門領域の書物が並んでいる。私が死ぬまでに読むことができる本はせいぜい数千冊だろう。でも、それは今目の前に並んでいる書物の1%にも及ばない。私はここに蓄積された人類の知のほとんどを知らぬままに死ぬのだ。中学生のころから、私は折に触れて図書館の中を長い時間さまよったけれども、そこで一番骨身にしみたのは「読みたい本がこんなにある」という喜び以上に「読むことなく生涯を終える本がこんなにある」というおのれの知見の狭さについての痛切な自覚だった。

図書館はそこを訪れた人たちの無知を可視化する装置である。自分がどれほどものを知らないのかを教えてくれる場所である。だから、そこでは粛然と襟を正して、「寸暇を惜しんで学ばなければ」という決意を新たにする。図書館の教育的意義はそれに尽くされるだろう。もし、図書館の書架が「自分がもう読んだ本とこれから読むはずの本」で埋め尽くされていたら、人はどう感じるだろう。この世のほとんどについてだいたいのことは自分にはわかっていると思い込んだ人間ばかりで構成された社会がどれほど重苦しく、淀んで、風通しの悪いものか、少しでも想像力があれば、わかるはずだ。

図書館に向かって「みんなが読みたがるベストセラーだけを並べて置け。読まれない本は捨てろ。そうすれば来館者は増える」と言う人たちは知性と無縁な人間である。だが、今の日本では、そういう人たちが行政の要路を占めて、教育や文化予算の配分を決めている。日本の知的生産性が急坂を転げ落ちるように低下したのも当然である。

政治家が「市民にこういう本を読ませろ」と政治的圧力をかけてくることに対しては司書たちは十分な抵抗力を持っている。けれども、市場のロジックには抗しきれずにいるように見える。

図書館は人々の「学び」への欲望に点火する貴重な知的装置である。その「聖域」には市場原理や政治イデオロギーを決して介入させてはならない。

そういう話をしてきた。書物を愛する穏やかな人たちなので「全力で抗え」という私のアジテーションには驚いていたようだったけれど、それでも戦うときには戦わなければならない。


（「週刊金曜日」２０２２年10月28日〔№１３９８〕号）

歓待ということ

お茶について一言という依頼をある会員誌から受けたが、私は茶道にはまるで暗いので、茶について特段の知見がない。代わりに「もてなし」についての私見を述べる。

「もてなし」の基本は相手によって対応を変えないということである。歓待の本義は、たぶんそれに尽くされる。相手の足元を見て、歓待しておけばこちらに利益があると思う相手には礼を尽くし、みすぼらしい相手には茶も出さないというようなことをする人は「歓待」ということの意味が分かっていない。

歓待のわかりやすいかたちは、荒野をとぼとぼ歩いてきた異邦の人が一杯の水を求めてきたときに、幕屋の主がにこやかに迎え入れて、一宿一飯を供するということにある。遊牧民たちの世界ではこれは絶対的なルールである。当然だと思う。荒野を旅する者である以上、自分自身も、異邦をさまよい、飢えと渇きに苛まれて、見知らぬ幕屋の明かりをめざして歩く身の上になることは高い確率であり得る。そのときに、主が博愛主義的な人であれば歓待を受けて生き延び、狭量な人であれば扉を閉ざされて窮死するということであっては困る。自分自身の生き延びる確率を高めるためにも、遊牧民たちは、いついかなる場合でも「異邦人は歓待しなければならない」ということを一般的ルールに定めたのである。ユダヤ教やキリスト教が「隣人をあなた自身のように愛しなさい」と説くのは、そのような切実な集団的経験に裏書きされている。

同じルールは医療にも存在する。古代ギリシャの医聖ヒポクラテスは医療人たちが職業的に自立するとき、彼らに「相手が自由人であっても、奴隷であっても、診療内容を変えない」ことを誓わせた。医療行為は商品でもサービスでもない。それはそれを求める人がいる限り、相手が富者であろうと貧者であろうと権力者であろうと庶民であろうと対応を変えることなく提供されなければならない。

ヒポクラテスがそのような誓言を求めたのは、もちろん彼の時代にも「相手が金持ちなら診るが、貧乏人なら診ない」という医師がいたからである。だが、そのときに「世の中、そういうものだ」とそれを認めたら、以後の医学の進歩はなかっただろう。ヒポクラテスはそのことを洞察していたのだと思う。事実、「すべての人に等しく良質な医療を施す」という不可能な目的を達成するために以後2500年医学は安価で簡単な検査法や治療法を探し求め、貧者でも医療を受けられる保険の仕組みを工夫してきた。その努力を動機づけてきたのはこの実行することの困難な「誓い」の言葉である。

「あなたに支援を求めるすべての人を等しく歓待せよ」という太古的なルールが私たちに求める効果もこの誓言と似ている。それは仮にそれが今ここで実現できないことであったとしても、人間の終わりなき努力の向かうべき「無限消失点」として掲げられ続けなければならない。

「そんなこと不可能だ」と言うのは簡単だし、その方がリアリスティックにも聞こえるだろう。けれども、「実現不可能の目標」は「実現不能なのだから目標とするに足りない」という賢しらな言葉を口にした瞬間に、その人は人間として「進化」することを止めてしまったのである。不可能な目標を掲げて前のめりに歩むことを続けたおかげで人間は長い時間をかけて「より人間的な存在」になってきたのである。

「もてなし」において最も重要なのは迎えるすべての人に等しく同じレベルの歓待を以て応じることである。相手によって対応を変えてはならない。だから、供するのは「粗茶」でよいし、むしろ粗茶であらねばならないのである。「茶が粗である」ということは「私は相手によって差別をしていない」という宣言なのである。

だが、その趣旨をもう多くの現代人は忘れてしまった。むしろ、歓待の仕方に細かいグレードの差を設け、「あなたは例外的に高い歓待をされています」と告げれば、来客を喜ばせることができると信じている。だが、それは心得違いである。それは「私はあなた本人ではなく、あなたが所有する権力や財貨や威信に対して敬意を表しているのである。あなたがそれを失ったら、あなたは私からの歓待を期待できない」と告げているに等しいからである。でも、「私が歓待しているのはあなた自身ではない」と言われて喜ぶ人たちの方が今の日本社会では多数派を占めている。残念ながら、日本人はしだいに「歓待」の本義を忘れつつあるようだ。

（「てんとう虫／express」〔現「SAISON express」〕２０２２年1月号）

品がよいとは悪いとは

というお題を頂いた。よく考えると不思議な論題である。そんなの「わかりきったことじゃないか」と思ったからである。でも、これをあえて主題的に論じて欲しいと求められたのは、「品のよしあし」が「わかりきったこと」ではもうなくなったという現実を映し出しているのだと思う。たぶん編集者のどなたかが、誰かの言動について「品が悪いなあ」という印象を述べたときに、「あなたは今『品が悪い』と言われたが、それはいったいどのような客観的根拠に基づく言明なのですかな。『品が良い／悪い』の判定ができるというなら、その基準をただちに開示せよ」というようなことを言い立てられて、気鬱になったというようなことがあったのであろう。

最近はそういうことが多い。いちいち「個人の感想ですが」とか「写真はイメージです」とかお断りを入れないとうるさく絡んで来る人がいる。

これは「ポストモダン」固有の知的荒廃の現れではないかということをアメリカの文芸評論家ミチコ・カクタニが指摘していた。ポストモダンは「客観的現実」という語を軽々しく口にできなくなった時代である。われわれが見ている世界は、それぞれの人種、国籍、性別、階級、信教、イデオロギーなどのバイアスによって歪められている。それ自体はそれほど目新しい知見ではない。自分が見ているものの客観性を過大評価してはならないというのは、プラトンの「洞窟の比喩」以来ずっと言われてきたことである。だが、ポストモダン期にはその知的自制が過激化した。

「自制が過激化する」というのは変な言い方だが、そういうこともある。プラトンの場合なら、振り返れば洞窟の外には客観的現実があるわけだけれど、ポストモダンが過激化した現代では「振り返って現実を見る」ということ自体がもう人間にはできないと宣告されたのである。客観的現実について語るのは虚しいからもう止めようということになったのである。なんと。

「世界の見え方は人によって違う」ということ自体は常識的な言明である。だが、そこから「万人が共有できるような客観的現実は存在しない」というところまでゆくと、これは「非常識」と言わざるを得ない。2017年1月22日、ホワイトハウス報道官がドナルド・トランプの大統領就任式に「過去最大の人々が集まった」と虚偽の言明をしたことについて問われた大統領顧問ケリーアン・コンウェイが、報道官の言明は「代替的事実（alternative facts）」を伝えたものだと述べたのが、この「非常識」の起点標識をなす。

日本のメディアはこの言明を「もう一つの事実」と訳したが、コンウェイはこのときfactsと複数形を使っていたのである。一つどころではなく、無数の代替的事実が等権利的に併存している新しい世界の始まりがこの日に宣言されたのである。

真実性の証明は誰にもできないとなった以上、発声機会の多い人間、声のでかい人間の勝ちである。それがポスト・ポストモダンの知的退廃の実相である。知的節度が過激化したせいで、知的無法状態が現出したのである。

客観的現実さえもが懐疑される時代に「品が良い／悪い」などという判断に普遍性が求められるはずもない。もちろん、それで話を終わりにするわけにはゆかない。

「この世に品が良い悪いなどという判断を下すことのできる者はいない」と冷笑してことが決するようならこの世は闇である。いかなる時代にあっても、下品なものは断固として退けられねばならないし、上品なものは擁護され顕彰されねばならない。世の中には「オルタナティブ」を認めてもよいものもあり、認めてはならないものもある。そして、品位（decency）は決してオルタナティブを認めてはならないものである。

なぜなら、品位はその本質からして「集団内部的なもの」「内輪の決まり」ではないからである。それは「外部」から到来するもの、われわれと共通の論理や価値観や美意識を共有しないもの、すなわち「他者」と向き合うときの作法のことだからである。

他者に向き合う作法とは、一言で言えば、「敬意を示すこと」である。

「敬」は白川静によれば、「もとは神事祝禱に関する字。神につかえるときの心意」を表わす。最もよく知られた用例は『論語』にある「鬼神を敬して之を遠ざく。知と謂うべし」である。敬とは距離を取ることである。熱いフライパンをつかむときに「なべつかみ」を用いるのと変わらない。

世の中には「鬼神」に類するものがいる。うかつに手で触れると失命するかも知れないものがあまた存在する。それに対する畏怖の現れが「敬」である。ポストモダン的なバケツの底が抜けた「すべては等しく主観的幻想にすぎない」という命題に致命的に欠けているのは他者の他者性に対するこの畏怖の思いである。

（「學鐙」２０２３年春号）

鈴木邦男さんのこと

1月11日に鈴木邦男さんが亡くなった。最後にお会いしたのは、2年前の2月に鈴木さんの戦いを記録したドキュメンタリー『愛国者に気をつけろ！鈴木邦男』の上映のときだった。中村真夕監督と鼎談した。鈴木さんはそのときはもう車椅子でやって来ていて、笑顔と諧謔はいつもの通りだったけれど、言葉にはあまり力がなかった。映画館の前で鈴木さんの乗ったタクシーに手を振りながら、「もうお会いできないかも知れない」と思ったけれど、やはりそうなった。

鈴木さんと最初に会ったのは10年前、西宮で行われていた「鈴木邦男ゼミ」にゲストとして呼ばれたときだった。「あの鈴木邦男」にどう値踏みされるかすごく緊張した。でも、お会いしてみたら鈴木さんは温顔で迎えてくれた。対談でも武道修業が話題の中心で、僕が恐れていたような政治的に剣呑な話題にはならなかった。

そのときにすっかり意気投合して、以後鈴木さんとは定期的にお会いするようになった。一連の談話を素材にゼミの企画者だった鹿砦社《ろくさい》の福本高大さんが対談集『慨世《がいせい》の遠吠え』を編集してくれた。

福島みずほさんの議員生活15周年記念パーティに招かれて行ったときに、青山の会場で鈴木さんとばったり会ったことがある。僕も鈴木さんも会場に他に知り合いが見つからず、二人で会場の隅でビールを飲みながらぐだぐだおしゃべりをした。「今日のパーティに来ている右翼は僕一人だよ」と鈴木さんは笑っていた。そのとき『ある精肉店のはなし』の映画監督・纐纈《はなぶさ》あやさんが僕たちを見つけて話しかけてきたので名刺交換をした。不良高校生二人が授業をさぼって体育館裏で煙草を吸っているところに、クラス委員の子が来て「あ、また、さぼって」と笑いながらにらみつけるような感じがして、鈴木さんも僕もなんだかあたふたと要領を得ない対応をしてしまった。

あのときの鈴木さんの照れたような笑い顔が忘れられない。ご冥福をお祈りします。

（２０２３年２月９日）

小田嶋さんの思い出

小田嶋隆さんの訃報が届いたのは、禊祓いの行をしている途中だった。メールを読んでから道場に戻って行を続けた。小田嶋さんは、こういうのが大嫌いな人だったと思いながら、身勝手ながら供養のつもりで祝詞を上げた。

僕が最初に小田嶋さんの文章を読んだのは80年代初めの、東京の情報誌『シティーロード』のコラムでだった。一読してファンになった。「若い世代からすごい人が出てきたな」とか「端倪《たんげい》すべからざる才能である」とか思って驚いたわけではない。ただ、「この人のものをもっと読みたい」とだけ思った。それだけ中毒性のある文章だった。それから彼の書くものを探して、むさぼるように読むようになった。

実際に拝顔の機会を得たのはそれから20年以上経ってからである。当時毎日新聞社にいた中野葉子さんが憲法九条をテーマにしたアンソロジーを編みたいというので僕に寄稿を依頼してきた。他に誰か書いて欲しい人がいますかと訊かれたので、平川克美、小田嶋隆、町山智浩の三人の名前を挙げた。

平川君は小学校時代からの友人だから書いてくれると思ったが、小田嶋、町山ご両人には会ったことがなく、僕が一方的に「ファン」だったというだけである。果たして寄稿依頼に応じてくれるかどうか心配だったが、二人とも寄稿すると返事をくれた。中野さんは他にも何人か作家や評論家に寄稿を依頼したが、全員が断ってきて、結局本に寄稿したのは、僕たち四人だけだった。それが『9条どうでしょう』(2006年)である。

本が出ることになったので、出版祝いをすることになって、六本木のレストランに集まった。僕はそのときに初めて小田嶋、町山のご両人とお会いすることになった。会って見たら、町山さんは宝島社にいた頃に小田嶋さんの担当編集者だったという因縁があって、二人の間で話が盛り上がった。僕は目の前に「アイドル」が二人いるので、ただそれをぼんやり眺めているだけで満足していた。平川君はこの二人のことをそもそもよく知らなかったのだが、たちまち小田嶋さんと意気投合してしまった。それがきっかけになって、それから僕たちと小田嶋さんはよく会うようになった(町山さんはすでにアメリカ在住だった)。

僕と小田嶋さんは性格的にほとんど共通点がない。

小田嶋さんは美食に全く興味がない。新鮮なお刺身にも、脂ののったお肉にも興味を示さないで、箸でいやそうに遠ざける。僕は「うまいうまい」とほおばりながら完食する。小田嶋さんはお酒も嗜まない。僕は目を細めてくいくいと杯を傾ける。小田嶋さんはその代わりにお菓子を食べる。麻雀やっている間もさまざまなジャンクなスナック菓子を口中に投じ続ける。

小田嶋さんは武士道とか武道とか修行という類のことが嫌いだった。宗教も苦手だった。だから、神社仏閣には足を向けず、怪力乱神を語ることを好まなかった。僕は武道家で、修行が好きで、スーパーナチュラルな話に目がない。二人の間にはあまり共通点がない。でも、僕たちはとても仲が良かった。

なにより僕は小田嶋隆が書くものが大好きだった。追悼のために、彼の批評性とはどういうものだったのか、それについて個人的な感想を記しておきたい。

彼の批評的言説のきわだった個性は、自分の立ち位置が「異端」であることを前提にしているのだが、「正系」の人たちを言葉の力で自分の手元へ手繰り寄せようと努力する点にあった。孤立していることは彼にとっては初期条件なのであり、彼はそのことにそれほど大きな意味を認めていなかった。「異端者」として「正系」や「多数派」や「良風美俗」を冷笑したり、一刀両断にするということを彼はしなかった。それは、少数派であることは特別なことではない。恥じることでもないし、誇ることでもないと彼が思っていたからだと思う。少数派であるのは、ただ、自分と同じように考える人が少なく、同じようにふるまう人が少ないという散文的な事実のことに過ぎない。少数派と多数派の間には正否の差も優劣の差もない。小田嶋さんはそういう「オープンマインデッドな少数派」だった。

彼は少数派の立場から、多数派に対して彼我の違いが奈辺にあるかを「説明」しようと試みた。これは稀有のことだと思う。ふつう「少数派」「異端」は「多数派」「正系」に背を向ける。まず手を差し伸べたりはしない。でも、小田嶋さんはまっすぐ多数派に向かって語りかけた。そして懇切丁寧に「説明」を試みた。もう一度言うが、これは稀有のことである。ふつう「少数派」「異端」を任じる人たちはもっと不親切である。仲間内だけで通じる符丁を以て語り、「俗衆の頭越しに、少数派同士で目配せをし合う」ような感じの悪いことをする。小田嶋さんはそういうことを絶対にしなかった。「この固有名詞を知らないほど無知なやつは読者に想定してない」とか「この引用の出典を知らないようなど素人には言ってきかせることはない」というような横柄な構えを彼はしたことがない。彼が引くその固有名詞や引用がどうしてここで出てくるのか、その必然性について「事情を知らない人」に向かって説明する労を彼は惜しまなかった。その構えを僕は「親切」と呼ぶのである。

彼の書くものは本質的に「説明」だった。「私は世の『ふつうの人たち』が用いるような言葉づかいをしないのだが、それには個人的な経緯や理由があり、それをみなさんは理解できるはずである」というのが小田嶋さんのスタンスだった。彼の際立った個性は「それをみなさんは理解できるはずである」という部分にある。

ふつう自ら「異端者」、「少数派」を任ずる書き手は、多数派に向かって説明したり、説得したりする手間をかけない。彼らの知性をあまり評価していないからだ。それよりはむしろ、「素人には何を言っているのかがわからない」という謎めいた演技をチャームポイントにして言論市場での自分のニッチを確保しようとする。たしかに、これは渡世上は有効な方法である。でも、小田嶋さんはそういう「すかした」書き方が大嫌いだった。

小田嶋さんは自分が異端であり、少数派であることを特別なことだと思っていなかった。彼の少数性は、比喩的に言えば「いつまでも夏休みのつもりで遊んでいたら、周りの友だちが秋になって一斉に受験モードに切り替わってしまったのだが、それに気付かず、学生服をきちんと着込んだ同級生の間にひとりだけアロハと半ズボンとゴム草履で取り残された高校生」の孤立に近い。

小田嶋さんが橋本治の『革命的半ズボン主義宣言』を高く評価していたことはエッセイにも書かれている。僕と平川君が彼が亡くなる10日前に見舞いに訪れたとき、病床から半身を起こして、小田嶋さんは言語と文学について、最後の力を振り絞るように熱く語ってくれた。小田嶋さんが最後に言及した作家は橋本治で、著書は『革命的半ズボン主義宣言』だった。実は僕は小田嶋さんがそれほどまでに橋本治にこだわりがあったとは知らなかった。でも、彼はその本から受けた感動について、2011年6月に「日経ビジネスオンライン」でこう書いていた。

私はこの本を、20代の頃に読んだ。著者は橋本治。初刷の発行は、1984年。1991年には河出書房新社から文庫版が出ているが、いずれも既に絶版になっている。Amazonを当たってみると、版元にも在庫がない。名著なのに。

というわけで、手元に実物が無いので、詳細ははっきりしないのだが、私の記憶しているところでは、本書は、「日本の男はどうして背広を着るのか」ということについて、まるまる一冊かけて考察した、とてつもない書物だった。以下、要約する。

1　日本のオフィスでは、「我慢をしている男が偉い」ということになっている。

2　熱帯モンスーン気候の蒸し暑い夏を持つこの国の男たちが、職場の平服として、北海道より緯度の高い国の正装である西洋式の背広を選択したのは、「我慢」が社会参加への唯一の道筋である旨を確信しているからだ。

3　我慢をするのが大人、半ズボンで涼しそうにしているヤツは子供、と、うちの国の社会はそういう基準で動いている。

4　だから、日本の大人の男たちは、無駄な我慢をする。しかもその無駄な我慢を崇高な達成だと思っている。暑苦しいだけなのに。

5　実はこの「やせ我慢」の文化は、はるか昔の武家の時代から連綿と続いている社会的な伝統であり、民族的なオブセッションでもある。城勤めのサムライは、何の役にも立たない、重くて邪魔なだけの日本刀という形骸化した武器様の工芸品を、大小二本、腰に差して出仕することを「武士のたしなみ」としていた。なんという事大主義。なんというやせ我慢。

6　以上の状況から、半ズボンで楽をしている大人は公式のビジネス社会に参加できない。竹光帯刀の武士が城内で蔑みの視線を浴びるみたいに。なんとなれば、わが国において「有能さ」とは、「衆に抜きん出ること」ではなくて、むしろ逆の、「周囲に同調する能力＝突出しない能力」を意味しているからだ。
以上は、記憶から再構成したダイジェストなので、細かい点で多少異同があるかもしれない。話の順序もこの通りではなかった可能性がある。でもまあ、大筋、こんな内容だった。

橋本氏の見解に、反発を抱く人もいることだろう。極論だ、とか。自虐史観だとか。しょせんは局外者の偏見じゃないかとかなんとか。でも、私は鵜呑みにしたのだな。なんと素晴らしい着眼であろうか、と、敬服脱帽いたしましたよ。ええ。（…）

『革命的半ズボン主義宣言』の最終的な結論は、タイトルが暗示している通り、「半ズボン姿で世間に対峙できる人間だけが本物の人間」である旨を宣言するところにある。


要約の当否は脇に置いて、小田嶋さんが橋本治から何を受け継いだのかはこの引用からだけで明らかだと思う。彼は「半ズボン姿で世間に対峙できる人間」になろうとしたのである。そして、それは、小田嶋隆一人だけが、制服姿の高校生の中で（比喩的な意味で）「半ズボン姿」であったことが原体験としてあったからだと思う。そのときの孤立感と、「でも、半ズボンをオレは脱がないよ」という決心の堅さは僕にはよくわかる。とてもよくわかる。

だから、彼の異端性や孤立は「半ズボンをはいた少年」が、鬱陶しい制服や背広を着込んで眉根に皺を寄せて「やせ我慢」しているかつての同級生たちに向かって、「君たち何やってんのさ?」と問いかけているのに似ている。彼が世の中の理不尽や仕組みやナンセンスなルールについて書くときに、それはかつての同級生たちに向かって「その服、苦しくないか?」と気づかっているのに似ている。せせら笑っているわけでもないし、罵倒しているわけでもない。そうではなくて、彼らが身にまとっているものの嘘くささや息苦しさの所以を説き聞かせて、「そんなもの脱いで、こっちへおいでよ」と呼びかけているのである。

だから、彼の書くものは鋭い批評性と親切心が同居する不思議な味わいのものになった。この「オープンマインデッドな少数派」という骨法を、小田嶋さんは橋本治さんからたぶん受け継いだのだと僕は思う。

彼の衣鉢を継ぐ書き手がこのあと登場するかどうかはまだ分からない。でも、小田嶋隆の仕事は日本文学史の中に一筋の道統として受け継がれてゆくべきものだと僕は思っている。

小田嶋さん、長い間ほんとうにありがとう。

(『GQ　Japan』ウェブ　2022年6月27日)

著者略歴

内田樹（うちだ・たつる）

1950年東京生まれ。思想家、武道家、神戸女学院大学名誉教授、凱風館館長。東京大学文学部仏文科卒業。東京都立大学大学院人文科学研究科博士課程中退。専門はフランス文学・哲学、武道論、教育論など。第6回小林秀雄賞（『私家版・ユダヤ文化論』）、新書大賞2010（『日本辺境論』）、第3回伊丹十三賞を受賞。他の著書に、『ためらいの倫理学』『レヴィナスと愛の現象学』『サル化する世界』『日本習合論』『コモンの再生』『コロナ後の世界』、編著に『人口減少社会の未来学』などがある。

装丁　大久保明子

街《まち》場《ば》の成《せい》熟《じゅく》論《ろん》

二〇二三年九月十五日　第一刷発行
二〇二三年十一月三十日　第二刷発行

著者　内《うち》田《だ》樹《たつる》
発行者　小田慶郎
発行所　株式会社 文藝春秋
東京都千代田区紀尾井町三－二三
郵便番号　102－8008
電話（〇三）三二六五－一二一一（大代表）
印刷所
製本所　萩原印刷

ISBN978-4-16-391756-6　Printed in Japan